kein innen
kein aussen

OSHO GEWIDMET,
DEM ZEN-MEISTER PAR EXCELLENCE

AMIYO RUHNKE

kein innen kein aussen

ZEN KOANS

DIE GRENZEN DES VERSTANDES DURCHBRECHEN

Urania Verlags AG

1. Auflage 1998

ISBN 3-908645-91-3

Originalausgabe
Aus dem Englischen übersetzt von Martina Kaltenbach
Buchgestaltung und Satz: Amiyo Ruhnke
Kalligraphie auf den Rückseiten der Karten und der Box: Günther Nitzschke

Ein *Real Dreams* Buch
Druck: FGB, Freiburg i. Br.
Printed in Germany

Inhalt

ein Schritt — und die Reise beginnt

Alles, was ich im Zen erfahren habe, habe ich durch Osho erfahren. Ich hatte von Zen gehört, hatte über Zen gelesen, aber die Erfahrung kam durch Osho.

Vor rund 20 Jahren, in einem - aus heutiger Sicht – völlig anderen Leben, hielt ich mein erstes Buch von Osho in den Händen. Der Titel war „Was ist Meditation?", und es enthielt kleine Geschichten und sehr schöne Schwarzweiß-Bilder. Der Titel hatte mich neugierig gemacht, und ich kaufte das Buch.

Ich erinnere mich, daß ich die darauffolgende Woche damit verbrachte, diese kleinen Geschichten wieder und wieder zu lesen; ich wollte unbedingt herausfinden, was sie bedeuteten. Ich hatte noch nie zuvor ein Buch wie dieses gelesen: Ich verstand die Worte, aber was war die Aussage? Basos Koan über die fliegenden Wildgänse zum Beispiel fand ich besonders schwer zu verstehen. Schließlich wußte ich zu der Zeit weder, wer Baso war, noch ahnte ich, daß ich ein Koan las …

Ein paar Monate später lernte ich durch eine Freundin einen Mann kennen, der gerade aus Indien zurückgekommen war. Dort war er Osho begegnet, dem Autor meines kleinen Buches. Ich stellte tausend Fragen, und der Indienreisende erzählte mir von diesem Weisen und seinem Ashram in Indien.

Die Geschichte ist zu lang, um sie hier zu erzählen, jedenfalls fand ich mich durch sehr glückliche Umstände bald darauf in Indien wieder, wo ich Oshos tägliche Vorträge besuchte, und daran sollte sich für die nächsten Jahre nichts ändern, bis er seinen Körper verließ und seine Flügel ausbreitete.

Es war ein unglaubliches Geschenk, ihm zuzuhören. Seine Diskurse führten uns von Nietzsche über Khalil Gibran, über Fragen seiner Schüler und altindische Sutras bis in die Höhen des Zen. Und seine Präsenz war faszinierend. Er war, er ist ein lebender Zen-Meister – nie war vorauszusehen, was er als nächstes tun oder sagen würde. Er benutzte moderne Methoden, um uns zu schockieren, um uns aus dem Verstand herauszukatapultieren – in die Unermeßlichkeit des Nicht-Verstandes hinein, den Zustand reiner Gedankenlosigkeit.

Liebevoll und voller Mitgefühl half er uns, das schwere Gepäck der Vergangenheit loszulassen, die Schutzpanzer um unsere Herzen abzulegen und kindliche Unschuld und Staunen wieder zu entdecken.

Wenn ein Thema allzu bedeutungsschwer wurde, erzählte er uns Witze aus dem „Playboy", er experimentierte mit alten Meditationstechniken und paßte sie den Bedürfnissen des modernen Menschen an, er ließ uns lachen, weinen, „Gibberish" brabbeln, er führte uns in die Stille – er war ein Magier aus einer Welt, die uns als lang vermißte Freunde willkommen hieß.

Die neueren Diskurse wurden auf Videokassetten aufgenommen. Wenn man sie anschaut, wird deutlich, daß hier ein ganz Großer, einer vom Range eines Baso, Dogen, Rinzai seinen faszinierten Zuhörern – Schülern, Freunden, Weggefährten – das Dharma vorlebt und deutet. Zen – das heißt leben, atmen und lachen.

Ganz allmählich begann ich, die Geschichten, die ich zunächst verwirrend gefunden hatte, unter seiner liebevollen Führung Stück für Stück zu verstehen. Manchmal hatte ich das Gefühl, als ob mich einer in die Backe kneift – autsch!, doch dann sah ich sein Lächeln, und es half mir, ein bißchen tiefer in das „lebende" Zen einzudringen und es zu verstehen.

Was mit einem kleinen Buch anfing, ist noch nicht vorbei. Es wächst und treibt jeden Tag neue Blüten. Ich hoffe, daß dieses Buch und die Karten etwas von dem Zen-Feuer, dem Zen-Wind ins Leben bringen, einen Geschmack vermitteln von dem Mann, der seit so vielen Jahren mein Meister ist und dem ich unendlich dankbar dafür bin, daß er mich auf den Weg gebracht hat, auch wenn er mich immer wieder schieben, ziehen und anschubsen mußte. Der Weg begann mit einem einzigen Schritt.

Vielleicht berühren einige der Geschichten in diesem Buch dein Herz und führen dich auf die einzige Reise, die den Weg lohnt – die Reise zu dir selbst, nach Innen, zu deinem wahren Sein.

Zen: kein Innen, kein aussen

Tennyson sagte einmal: „Wenn ich eine Blume mit ihrer Wurzel und allem verstehen könnte, würde ich die gesamte Existenz verstehen."

Zen ist eine Einladung, direkt in die Natur der Dinge hineinzuschauen, unbeeinflußt von Gedanken, Vorurteilen und Konzepten.

Normalerweise sind wir gefangen in unserem Verstand, in Gedanken, die unser Bewußtsein einschränken, weil sie alles bewerten – das eine als gut, das andere als schlecht, das dritte als „geht so". Versuche es doch einmal: Was passiert, wenn du eine Blume anschaust? Sofort springt dein Verstand an und sagt: „Wie schön!" Aber hast du die Blume erlebt, hast du sie wirklich gespürt, bist du eins mit ihr geworden? Nein, du hast sie nur bewertet. So machen wir es immer im Leben. Oft ist das auch sehr nützlich; Dinge unterscheiden und einordnen zu können, ist eine wichtige Fähigkeit. Aber wenn man nach innen gehen will, behindert sie uns eher. Mit dem Verstand funktioniert man in der Außenwelt, Meditation ist die Technik, sich in sein inneres Sein zurückzuziehen, in sein Wesen hineinzuschauen.

Im Zen geht es um deine innere Welt, um deine Subjektivität.

Gautama Buddha benutzte zwei Worte, um Objektivität und Subjektivität zu unterscheiden: *Dhatu* – das Objekt und *chitta* – Subjektivität. Die Philosophie begnügte sich mit dem Objekt. Der Beobachter bleibt außen vor und denkt über das Beobachtete nach. Die Psychologie der Buddhas hat im Gegensatz dazu die Reise nach Innen erforscht, bei der letztlich nichts als reines Bewußtsein übrig bleibt, wenn der Tänzer zum Tanz geworden ist, das Objekt zum Subjekt. Die Methode, die seit Jahrtausenden dafür angewandt wird, ist

Meditation, Beobachten. Du setzt dich hin und fängst an, deinen Körper zu beobachten, nimmst die Geräusche um dich herum wahr, fühlst die Kleider auf deinem Körper, spürst, wie du sitzt, vielleicht tun die Beine ein bißchen weh....

Ganz allmählich, während du deinen Körper beobachtest, wird dir bewußt, daß du nicht dein Körper bist, daß der Körper nicht *du* ist. Du bist etwas, das den Körper beobachtet. Während du tiefer gehst, fängst du an, deine Gedanken zu beobachten, wie sie von hier nach da flitzen, von der Vergangenheit in die Zukunft, wie Autos auf einer mehrspurigen Straße. Und je länger du die Gedanken in deinem Kopf beobachtest, desto langsamer werden sie, bis du schließlich Lücken zwischen ihnen entdecken kannst, in denen es ganz still ist. Vielleicht sind mit manchen Gedanken auch Gefühle verbunden, Gefühle, die ebenfalls kommen und gehen. Auch sie sind nicht du, denn während du still beobachtest, kannst du auch sie ansehen. Schließlich bleibt nur das Beobachten übrig. Und das ist dein wahres Gesicht – eine sich grenzenlos ausdehnende Weite. Du bist mitten im Universum angekommen, in der Mitte, die auch deine Mitte ist.

Und Du hast die drei Grundlagen des Zen erfahren: Nicht-Form, Nicht-Verstand, Nicht-Individualität.

Nicht-Form: Du bist nicht der Körper, alle Formen fließen, sind in Fluß. Nicht-Verstand: Du bist nicht deine Gedanken, sie kommen und sie gehen wieder. Nicht-Individualität: Die letzten Reste des Getrenntseins sind vorbei, es bleibt das pure Sein.

Zen beschäftigt sich nur mit diesem Bewußtsein, das wie ein Spiegel funktioniert. Es lehrt dich, den Staub abzuwischen, der sich auf dem Spiegel deines Bewußtseins angesammelt hat.

Zen gibt dir den Schlüssel, mit dem du die Türen zum Wunderbaren öffnen kannst, zum Mysterium des Lebens, zu dem, was du sein könntest. Alles, was du dazu brauchst, ist im Hier und Jetzt zu sein. Laß dich fallen in den Moment, suche die Tiefe des

Augenblicks, nicht seine Beständigkeit. Versinke in dem, was du tust, sei meditativ und sei dir bewußt, daß alles Meditation ist.

In der Religion geht es normalerweise um dein Gewissen, im Zen zählen nur dein Bewußtsein und deine Bewußtheit.

Zen verurteilt oder tadelt nichts. Es gibt kein Wertesystem, das über deine Taten richtet. Im Zen gibt es keinen Gott, die Verantwortung für deine Taten trägst allein du.

Du brauchst eine gewisse Reife, um diesen Weg zu gehen. Übe dich in Verständnis, in Achtsamkeit und Mitgefühl. Wenn du spürst, daß Mitgefühl in dir aufsteigt, weißt du, daß du auf dem richtigen Weg bist.

Zen macht das Gewöhnliche zum Außergewöhnlichen, alles und jedes ist etwas ganz Besonderes, ein einmaliger Ausdruck dieses Universums am richtigen Ort und zur richtigen Zeit. Jedes Blatt, jede Blüte, die Sterne, die Wolken, alle sind genauso göttlich wie du. Zen schließt alles ein, es ist synergetisch.

Osho formuliert es so: „Die Welt ist eins. Sie ist eine Einheit. Nichts ist getrennt. Alles pulsiert zusammen. Wir sind miteinander verbunden, jeder mit allem. Das ganze Leben ist ein Netz. Selbst das kleinste Blatt, das hier am Chuang Tzu-Auditorium wächst, ist mit dem entferntesten Stern verbunden. Wenn mit diesem Blatt etwas geschieht, geschieht auch etwas mit dem entferntesten Stern."

In dieser gegenseitigen Verbundenheit, der Wechselbeziehung des Ganzen mit all seinen Teilen, verschwindet alle Dualität. Was bleibt, sind zahllose, endlose Reflexionen, das ganze Universum ist vereint und feiert und tanzt einen Tanz ohne Ende.

Zen sagt: Das, was über dich hinausgeht, liegt in dir. Du mußt dich nur in dein inneres Sein zurückziehen und dein Zentrum finden. Du brauchst keinen Mittelsmann dafür, keinen, der dir sagt, was du tun sollst. Du brauchst keine Schriften zu lesen, keine Lehren zu befolgen, du brauchst nur deine Bewußtheit auf dein Leben zu richten...

Zen lehrt dich durch direktes Hinzeigen, Zen schockiert dich, indem es an der Kruste kratzt, die sich um dein Wesen geformt hat, bis sie aufbricht und du in deiner ursprünglichen Nacktheit neu geboren wirst.

Zen versucht, all die nutzlosen Dinge, die du dir angeeignet hast, abzuschütteln, dich zu entlasten, eine Offenheit herzustellen, in der du die Existenz neu erleben kannst. Zen glaubt nur an existentielle Erfahrungen.

Man kann die Mysterien des Lebens nicht definieren, man muß sie leben. Nur in der Unmittelbarkeit des Hier und Jetzt können sie gefühlt, geschmeckt werden.

Laß diesen Augenblick den einzigen Augenblick sein, ohne Vergangenheit, ohne Zukunft, nur die Unmittelbarkeit des Moments zählt.

Laß alles von dir abfallen, was du nicht bist, und lebe das, was du bist.

Zen ist eine Einladung, dich auf die Existenz einzustimmen. Sei wach und aufmerksam, wann immer du dich daran erinnerst, bis du schließlich 24 Stunden lang wach und aufmerksam sein kannst. Am Anfang mußt du wahrscheinlich jeden Tag eine Uhrzeit festlegen und eine bestimmte Zeit lang still sitzen. Nach einer Weile wirst du dann bemerken, daß diese Bewußtheit, dieses gelassene Reflektieren auch in deinen Alltag einfließt.

Bodhidharma lehrte stilles Sitzen, *Zazen*, Nicht-Tun, nur Beobachten; die Koan-Übungen werden seit Hui-neng praktiziert. Der Meister gab einem Schüler ein Koan, um die unruhige Energie der Gedanken zu sammeln. Beim Sitzen konnte der Schüler seine Aufmerksamkeit immer wieder zum Koan zurückbringen. Es war unmöglich, das Koan mit Hilfe des Verstandes zu lösen, und dagegen wehrte sich der Verstand natürlich. Hui-neng sagte über das Koan: „Wenn du über das nachdenkst, was nicht gedacht werden kann, wird langsam, ganz allmählich das Denken unmöglich. Eines Tages brechen dann alle deine Denkgebäude in sich zusammen. Plötzlich bist du in einem Zustand von

Nicht-Denken. Das ist Meditation."
In dieser Meditation hast du das Sein der Existenz selbst erfahren.
Tōzan schrieb dazu:

Lange suchte ich es durch andere
und war weit davon entfernt zu finden.
Nun gehe ich meinen Weg
und begegne ihm überall.
Es ist einfach ich selbst,
ich bin es nicht.
Wenn ich diesen Weg verstanden habe,
kann ich sein, wie ich bin.

Koan: Flucht in die Realität

BUKKO SAGT: *„Ein Koan ist ein weiser Spruch eines ehrwürdigen Mannes. Seine Wirkung in dieser Welt der Wertungen liegt darin, daß es den Blick auf das Wesentliche lenkt".*

Koan bedeutet wörtlich „öffentlicher Aushang". Seit Jahrhunderten ist das im Zen meist ein kurzer Dialog zwischen Meister und Schüler, der dem Schüler hilft, den Quantensprung vom Verstand zum Nicht-Verstand, dem Zustand wacher Gedankenlosigkeit, zu vollziehen. Auf die Frage, warum die Lehren der alten Meister Koans oder auch „öffentliche Dokumente" genannt werden, sagte der Rinzai-Zen-Meister Chuho Myohon:

„Man kann die Koans mit den Protokollen einer öffentlichen Gerichtssitzung vergleichen. Ob ein Herrscher in der Lage ist, Recht und Ordnung in seinem Reich zu schaffen, hängt wesentlich davon ab, ob es Gesetze gibt. *Kung (Ko)*, 'öffentlich' ist der eine Pfad, dem alle Weisen und Würdigen folgen, das höchste Prinzip, das als Weg für die ganze Welt dient. *An (an)*, 'Dokumente' sind die orthodoxen Schriften, die dokumentieren, was die Weisen und Würdigen als Prinzipien anerkennen. Es gab nie einen Herrscher ohne ein öffentliches Gericht, und es gab niemals öffentliche Gerichte ohne Dokumente. Sie dienten als Präzedenzfälle für Gesetze, die das Unrecht in der Welt ausmerzen sollten. Wenn diese öffentlichen Dokumente (koan) verwendet werden, dann treten also Prinzipien und Gesetze in Kraft; wenn diese in Kraft treten, wird die Welt rechtschaffen sein; wenn die Welt rechtschaffen ist, wird der Königliche Weg gut vorbereitet sein.

Wir verwenden nun den Begriff 'koan', wenn wir uns auf die Lehren der Buddhas und der Würdigen beziehen und meinen das gleiche. Ein Koan beinhaltet nicht die persönliche Meinung eines einzelnen Menschen, sondern das höchste Prinzip, das von uns und von den hunderttausenden Bodhisatvas der drei Königreiche und zehn Richtungen gleichermaßen empfangen wurde. Dieses Prinzip ist im Gleichklang mit der spirituellen Quelle, mit ihrer geheimnisvollen Bedeutung, es vernichtet den Kreislauf von Geburt und Tod und transzendiert die Leidenschaften. Es kann nicht durch Logik erfaßt, nicht mit Worten wiedergegeben und nicht in Schriften erklärt werden; es läßt sich nicht mit dem Verstand messen. Es ist wie eine Feuersbrunst, die alles niedermacht, was sich ihr in den Weg stellt. *Dies* war die Botschaft, die auf dem Geierberg[1] vermittelt wurde, *dies* war die Botschaft Bodhidharmas, im Kloster Shao-lin-ssu[2].

1 Gemeint ist eine Begebenheit, als Buddha mit einer Lotusblüte in der Hand vor die Versammlung seiner Schüler trat, sich setzte und schwieg, anstatt seinen Vortrag zu halten. Die Mönche wurden bereits unruhig, da begann einer von ihnen, Mahakashyapa, zu lachen. Buddha stand auf, gab ihm die Blume und ging.

2 Bodhidharma saß dort neun Jahre lang vor einer Wand. Siehe auch S. 54

Damals, vor langer Zeit, wurde mit der Botschaft der Lotusblüte auf dem Geierberg eines der ersten Koans geboren. Wie kommt es nun, daß es bis heute nur 1700 Koans gibt? Koans können nur von Menschen mit erleuchtetem Geist geschaffen werden, die das, was sie verstanden haben, mitteilen wollen. Koans sind nicht dafür da, Wissen über bestimmte Gebiete zu vermitteln oder Themen für eitle Diskussionen zu liefern.

Die sogenannten ehrwürdigen Zen-Meister sind gewissermaßen die Obersten Beamten der öffentlichen Gerichtssitzungen, die in den Mönchsgemeinschaften abgehalten wurden. Ihre Worte sind Zen-Botschaften, und ihre gesammelten und aufgezeichneten Aussagen sind die Fallbeispiele, mit denen sich die Mönche sehr intensiv auseinandersetzten. Sie nahmen sich diese Dokumente vor, zu Zeiten, in denen sie selbst nicht lehrten. Wenn sie in einer Stunde Freizeit die Tür hinter sich schließen konnten, ordneten sie die Dokumente, beurteilten sie, verfaßten Lobgedichte auf sie und schrieben sich ihre eigenen Antworten dazu auf. Gewiß taten sie das nicht, um mit ihrer Bildung zu prahlen oder die Größe der ehrwürdigen Meister anzuzweifeln. Sie taten es, weil sie den Gedanken nicht ertragen konnten, daß das Große Dharma – die Überlieferung der Wahrheitslehre – verfälscht weitergegeben werden könnte. Also legten sie eine Pause ein und nutzten ihre Zeit, um Menschen späterer Generationen eine Einsicht in die Weisheit zu ermöglichen. Sie hofften, ihnen dadurch zu einem eigenen Verständnis des Großen Dharma zu verhelfen.

Mit dem Wort kung, ‘öffentlich’, ist gemeint, daß das Koan keine persönliche Deutungen zuläßt; an, ‘Dokumente’, bedeutet in diesem Zusammenhang, daß das Aufgezeichnete mit den Lehren der Buddhas und Ehrwürdigen in Einklang ist. Wenn die Koans verstanden und angenommen werden, wird es keine Gefühle und Wertungen mehr geben; wenn es keine Gefühle und Wertungen mehr gibt, werden Geburt und Tod bedeutungslos; wenn

Geburt und Tod bedeutungslos sind, dann ist der Weg des Buddhas bereitet.

Was heißt nun im Einklang mit den Lehren der Buddhas und Ehrwürdigen? Die Buddhas und Ehrwürdigen waren sehr betrübt darüber, daß fühlende Wesen sich an den Kreislauf von Geburt und Tod und an die Täuschungen und Irrwege der Sinne klammerten. Deshalb konnte sich keines von ihnen aus den unzähligen *kalpas*, (den „Weltzeitaltern“), von der Vergangenheit bis zur Gegenwart befreien. Also stellten sie Worte zur Verfügung, um das Wortlose verfügbar zu machen, und gaben Formen vor, um das Formlose greifbar zu machen. Und kann es denn darum gehen, über Worte und Formen zu diskutieren, wenn die Fesseln der Selbsttäuschungen erst einmal gelöst sind?

Wenn ein einfacher Mann eine Angelegenheit nicht alleine entscheiden konnte, ging er zum öffentlichen Gerichtshof und bat um eine Entscheidung. Die Beamten schauten in den Dokumenten nach und trafen die Entscheidung mit deren Hilfe. Genauso fragte ein Schüler seinen Lehrer, wenn ihm eine Einsicht zu seiner Erleuchtung fehlte und er alleine nicht weiterkam. Der Lehrer gab sie ihm mit der Hilfe eines Koan.

Das Koan ist ein Lichtstrahl, der die Dunkelheit von Gefühlen und Wertungen erhellt; das Koan ist ein goldener Schwamm, der deinen Blick von trübem Film befreit, eine scharfe Axt, die die Wurzel von Geburt und Tod durchtrennt, ein göttlicher Spiegel, der das wahre Gesicht von allem enthüllt, sei es heilig oder weltlich. Das Koan verdeutlicht die Absicht der Ehrwürdigen, es ermöglicht und offenbart den Geist der Buddhas. Um vollkommene Transformation, letztendliche Emanzipation, völlige Durchdringung und Erlangung des wahren Seinszustandes zu ermöglichen, gibt es kein Mittel, das ein Koan übertreffen könnte.“

Im Westen wird das Koan oft als eine Art Rätsel verstanden. Ein Rätsel ist allerdings über den Verstand, durch rationales Denken zu lösen. Ein Koan hingegen ist ein Paradoxon, das mit Hilfe unseres normalen Denkens nicht erfaßt werden kann. Es kann nur von einer Ebene außerhalb des Verstandes verstanden werden, wenn sich ein Zustand von Nicht-Verstand, von Gedankenlosigkeit einstellt. In dieser „Lücke" zwischen den Gedanken kann ein Koan erfahren werden. Die existentielle Erfahrung ist das Kernstück der Koan-Übungen. Normalerweise ist unser Geist unruhig, Gedanken kommen und gehen und es gibt kaum einen Augenblick der Stille, der Zentriertheit. In unserem normalen mentalen Zustand lassen wir uns vom Strom der Gedanken mitreißen, die von hier nach da ziehen, halten uns ständig entweder in der Vergangenheit oder in der Zukunft auf.

Das Koan hilft, alle Energie zu konzentrieren. Alle Aufmerksamkeit richtet sich auf einen Punkt, und von da aus können wir das Sein, das Wesen der Existenz wie ein Pfeil aus reinem Bewußtsein durchdringen und erfahren.

In den Anfängen des Zen schien es, als hätten die chinesischen Meister Einsicht in ihr Sein erlangt, ohne daß sie viele Anweisungen befolgt hätten. Viele der Biographien geben an, daß die Meister bereits in jungen Jahren die buddhistischen Sutras studierten, sich mit Konfuzius' Lehren und dem Taoismus beschäftigten. Wenn sie zu bestimmten Zeilen in einem Sutra Fragen hatten, mußten sie oft feststellen, daß die Philosophie ihres Lehrers ihnen darauf keine Antwort geben konnte. Sie erkannten, daß es Dinge gab, die mit Worten nicht zu erklären waren. Ihre Fragen und Zweifel ließen sie schließlich einen Meister suchen, der sie mit Hilfe der Meditation nach Innen führte. Dort, so hofften sie, würden sie eine Antwort finden. In den Schriften und Dokumenten gibt es viele solcher Beispiele, in denen ein Mönch zu einem Meister kommt, und ein einziges Wort, ein Schrei oder eine Geste reichten aus, um den Sucher in den Zustand des Nicht-Verstandes zu bringen, worin er seine wahre Natur erkennen konnte.

Dann zogen sich die Sucher oft in die Berge zurück, um zwanzig, dreißig Jahre lang in einer kleinen Hütte zu leben, ihre Einsichten zu vertiefen und Reife zu erlangen. Wenn sie wirkliche, echte Erfahrungen gemacht hatten, versammelten sich nach und nach Schüler um sie.

Alle standen sie vor dem gleichen Problem: Wie kann man das ausdrücken, was man nicht ausdrücken kann?

Tōzan sagt: „Wenn alles verstanden ist, sind die Worte vergessen."

Osho formuliert es so: „Wahrheit wird in der Stille erfahren. Und wenn Wahrheit durch Stille erfahren wird, kann sie auch nur durch Stille ausgedrückt werden."

Die alten Meister waren daher sehr kreativ, wenn es darum ging, Mittel und Wege zu ersinnen, um ohne Worte zu sprechen: Sie provozierten, schüttelten und rüttelten die Schüler solange, bis sie *dies!*, die Wirklichkeit erkennen konnten. Die Meister brüllten, nahmen den Stock oder machten eine knappe Bemerkung - alles war recht, um eine Lücke im unablässigen Strom der Gedanken herzustellen. Ihre Abneigung gegen wortreiche Erklärungen wird in Mumons berühmtem Zitat sehr deutlich: „Der Gebrauch von Worten ist so, als ob man den Mond mit einem Stock schlagen wollte oder sich am Schuh kratzt, weil der Fuß juckt."

Die alten Meister und ihre Schüler lebten sehr einfach, oft teilten sie sich die Alltagsarbeiten. Es gibt viele Geschichten darüber, wie eine scheinbar einfache Frage eines Schülers den Meister dazu veranlaßte, die Situation zu benutzen, um die Einsicht des Schülers in die Natur der Dinge zu fördern. Alle Möglichkeiten wurden ausgeschöpft: Schlafen, Essen, die Arbeit auf dem Feld genauso wie stilles Sitzen im Meditationsraum. Alles konnte zum Werkzeug werden, um die Bewußtheit zu schärfen und das Verständnis zu vertiefen.

Anfangs, wenn nur einige wenige Schüler mit dem Meister lebten, konnte der Meister jedem von ihnen individuell Anweisungen geben. Wenn sich dann immer mehr Schüler einfanden, wurde oft die Frage eines der Schüler als stellvertretend für alle genommen und der Austausch zwischen Meister und Schüler wurde zum Lehrstück für alle Anwesenden.

Im Laufe der Jahrhunderte wurden diese Dialoge aufgezeichnet und zur Unterweisung von Suchern verwendet. Sie waren die Grundlage dessen, was uns nun als Koans bekannt ist, auch wenn der Ausdruck *Koan Zen* erst seit Nan'in Egyō ein bestimmtes System in der Lehre des Zen bezeichnet.

Mit den Dialogen zwischen Meister und Schüler wurden auch Anekdoten aus dem Leben des Meisters und Fragen der Schüler benutzt, um dem Sucher einen Weg zu zeigen, Realität direkt wahrzunehmen. *(Siehe auch unter Quellennachweise. Es gibt einige ausgezeichnete Bücher über die Geschichte der Koans)*

Ein Meister benutzte ein Koan auch um einen seiner Schüler über dessen Einsicht zu befragen. So konnte er prüfen, wie tief das Verständnis seines Schülers ging. Die Antwort auf das Koan zeigte ihm, wie weit der Schüler in seiner Entwicklung vorangekommen war. In den Anfängen der Koan-Übungen war es noch die brennende Frage und Suche des Schülers – dessen Durst der Meister mit einer einzigen Geste löschen konnte – doch leider beugte sie sich mit der Zeit der Neigung des Verstandes: Um das 12. Jahrhundert entwickelten sich die Koan-Studien zu einer Art intellektuellem Zeitvertreib. Viele der alten Koans waren gesammelt worden und lagen in Schriftform vor, und so wurden Koan-Studien für rein intellektuelle Zwecke zu einem weitverbreiteten Übel.

Glücklicherweise gab es aber zu jeder Zeit Meister wie Daie Soko, Ingen oder Hakuin – um nur einige zu nennen –, die sich einem trägen und formalen Koan-Studium widersetzten und das Zen und die Verwendung von Koans wieder zum Leben erweckten. Dieselben Koans werden auch heute noch verwendet. Obwohl sie mehrere hundert Jahre alt sind, steckt in ihnen immer noch die gleiche Kraft wie früher. Sie kann die verborgenen Barrieren in uns aufbrechen, die uns davon abhalten, das Leben in seiner wahren Essenz zu erfahren.

Das erste Koan, das ein Schüler bekommt, ist oft das Koan von Jōshūs Mu: Ein Mönch fragte den Zen-Meister Jōshū: „Hat ein Hund eine Buddha-Natur?“ Jōshū antwortete: „Mu!“

Es gibt viel Literatur zu diesem Koan, dem ersten aus der Koan-Sammlung Mumonkan. Der Platz reicht hier nicht aus, um der Materialfülle gerecht zu werden, daher nur so viel: „Mu“ heißt wörtlich auf chinesisch „nichts, nicht-sein“. Es wäre jedoch falsch, die Antwort wörtlich zu verstehen, denn Buddha sagte, daß alle Lebewesen eine Buddha-Natur haben. Hat der Hund nun eine Buddha-Natur oder nicht?

Normalerweise geht der Schüler hinaus und versucht auf das Koan, das ihm gegeben wurde, eine Antwort zu finden. Er setzt sich hin und grübelt, sein Verstand produziert viele Antworten. Jedes Mal geht er zum Meister, sagt seine Antwort, und der Meister schickt ihn wieder weg. In den Anfangszeiten kam es auch vor, daß der Meister ihn schlug, ihn hinauswarf, „Falsch! Geh tiefer! Tiefer!“ brüllte und der Schüler ging und von vorne anfing. Die heutigen Zen-Meister scheinen bedeutend sanfter geworden zu sein. Sie läuten höchstens mit der Glocke und geben damit zu erkennen, daß die Fragestunde zu Ende ist.

Es geschieht also immer wieder das gleiche, bis der Schüler eines Tages endlich die Antwort erfährt. Zunächst versucht er, das Koan über seinen Verstand zu lösen, aus sicherer Entfernung - und er bleibt ein Außenseiter. Das versetzt ihn in einen quasi-neurotischen Zustand, vergleichbar mit jemandem, der sich an der Spitze einer zigmeterhohen Stange festhält und dem man sagt, er solle einen Schritt nach vorne machen.

Wenn er erst einmal eins geworden ist mit dem Koan, es atmet, ißt, lebt, alle Gegensätze in sich aufgenommen hat, offenbart sich die Antwort. Und dann ist alles verstanden.

Der Zen-Meister Hakuin riet seinen Schülern folgendes für die Verwendung von Koans: „Wenn du dir ein Koan vornimmst und es ohne Unterlaß erforschst, sterben deine Gedanken und die Forderungen deines Egos werden zerschmettert. Es ist, als ob sich vor dir ein riesiger Abgrund auftun würde und du dichnirgendwo mit Händen oder Füßen festhalten könntest. Du bist mit dem Tod konfrontiert und dein Herz brennt wie Feuer. Dann plötzlich bist du eins mit dem Koan, und Körper und Geist lassen los... Dies ist damit gemeint, wenn man sagt, man erlange Einsicht in seine wahre Natur. Du mußt unaufhörlich nach vorne gehen, und wenn du diese gesammelte Konzentration und Aufmerksamkeit aufbringst, kannst du zweifellos bis zur unendlichen Quelle deines Seins vordringen."

Christoph Humphreys beschreibt in der heutigen Zeit diese Erfahrung so:

„Dann kommt der Sprung... Aber es stellt sich heraus, daß der Abgrund, in den wir fallen, die Fülle/die Leere ist. Der Sprung geht vom Gedanken zum Nicht-Gedanken – von der letzten Dualität von Illusion/Wirklichkeit zu einem schallenden Gelächter und einer Tasse Tee. Doch mit welch neuen Augen wir die Untertasse sehen! Und mit welch heiterer Gelassenheit wir den Tisch abräumen!"

Die 48 Koans in dieser Sammlung sind nur ein kleiner Vorgeschmack, eine Brücke, die in die Welt des Zen hineinführt. Sie sind nicht systematisch geordnet und haben keine festgelegte Rang- oder Reihenfolge. Sie sollen Interesse wecken an der nie enden wollenden Suche, an der Erforschung des eigenen Wesens, am Mysterium des Seins. Wer gerne mehr über Koan-Studien wissen möchte, sollte sich an eins der vielen Zentren wenden, die es in der ganzen Welt gibt. Es ist am besten, einen Zen-Meister oder eine ihm angeschlossene Schule in der Nähe des eigenen Wohnortes zu suchen.

Zumindest am Anfang ist es hilfreich, jemanden zu haben, dem man vertraut und der bereits viel Selbsterfahrung hat. Er kann dich bei den ersten wackeligen Schritten auf deinem Weg unterstützen. Sei wachsam bei der Suche nach einem Meister, damit du einen wahren Meister findest, der dir wirklich helfen kann. Höre auf dein Herz und vertraue deinem Bauch, wenn du beurteilst, ob eine/r der/die Richtige ist. Von seiten des Schülers braucht es Offenheit gegenüber dem Meister, in der Gegenwart des Meisters muß man vertrauen und loslassen können.

Wenn du den/die Richtige/n und die passende Umgebung gefunden hast, dann tauche mit deinem ganzen Herzen darin ein, halte nichts zurück und deine Bemühungen werden Früchte tragen.

Ein Meister ist eine Ermutigung. Wenn er „nach Hause“ gekommen ist, kann auch sein Schüler nach Hause kommen. Er hat sein inneres Wesen, sein inneres Licht erkannt. Der Schüler ist noch auf der Suche, noch tappt er im Dunkeln. Die Gegenwart des Meisters ist wie ein Katalysator – er fördert das Wachstum des Schülers. Es gibt ein berühmtes Zitat: „Bevor wir Zen studieren, sind die Berge Berge und die Flüsse sind Flüsse. Während wir Zen studieren, sind die Berge plötzlich keine Berge mehr und die Flüsse sind keine Flüsse mehr. Wenn aber unser Zen-Studium vollendet ist, sind die Berge wieder Berge und die Flüsse wieder Flüsse.“

Ein Schüler fragte einmal seinen Meister: „Oshō, wenn das so ist, dann gibt es ja keinen Unterschied zwischen einem gewöhnlichen und einem erleuchteten Menschen.“ Und der Meister sagte: „Es gibt auch keinen.“

„Jeder Mensch hat von Geburt an ein Recht auf Erleuchtung“, sagt Osho - und die Reise zur Mitte des eigenen Seins ist die wichtigste Reise des Lebens.

Und vergeßt nicht: „Die Reise beginnt mit einem einzigen Schritt.“

Viel Spaß!

Der Umgang mit den Karten

Vielleicht haben dich die Geschichten in diesem Buch dazu verführt, einen ersten Schritt zu machen und auf spielerische Weise dein Inneres zu entdecken. Zu jeder Geschichte gehört eine Karte, mit der du ein Koan auswählen und es als Brücke auf dem Weg zu deinem innersten Wesen benutzen kannst.

Die Karten helfen dir, ein Koan spielerisch auszuwählen. Natürlich kann man mit den Koans auch ohne Karten arbeiten, wie es seit vielen Jahrhunderten gemacht wird. Wichtig ist dein Anliegen, deine Suche. *Sie* wird dir letztlich dazu verhelfen, die Wirklichkeit so zu erfahren, wie sie ist, nicht die Worte oder Bilder auf den Karten.

Die Koans haben heute eine genauso starke Wirkung wie vor tausend Jahren. Laß dich nicht von deinem Verstand verleiten, der dir weismachen will, es seien ganz nette Geschichten oder Bonmots, die sich gut für eine gemütliche Tischrunde eignen.

Schau tiefer, suche tiefer und wische den Staub ab, der sich auf dem Spiegel deines Bewußtseins angesammelt hat, solange bis du „dich in dir selbst" entdeckst. Laß es eine existentielle Erfahrung sein, eine Einladung, dich in die Existenz fallen zu lassen, mit ihr zu tanzen.

Wenn du die Karten benutzen willst, um ein Koan für dich zu finden, dann suche dir einen ruhigen Platz, wo du ungestört bist, nimm den Hörer vom Telefon, lockere deine Kleider, nimm einen tiefen Atemzug und sitze einen Moment ganz still. Halte die Karten in der Hand, und warte einen Augenblick – nimm die Geräusche in der Ferne wahr, vielleicht zwitschert ein Vogel oder ein Auto hupt, spüre das Kissen, auf dem du sitzt, oder den Stuhl, und entspanne dich … Mische die Karten in Ruhe, und wenn du soweit bist, lege sie mit der Bildseite nach unten als Fächer aus. Laß deine linke Hand über die Karten wandern und spüren, zu welcher sie sich hingezogen fühlt. Ziehe die Karte, und lege sie vor dich hin. Schau dir das Bild an, und lies die Frage auf der Karte. Wenn du das Gefühl hast, daß du die Frage in dir aufgenommen hast – du solltest dir dafür so viel Zeit nehmen, wie du brauchst –, dann geh zu der entsprechenden Geschichte im Buch und lies sie langsam, sehr langsam durch, fast als ob die Worte in dich hineinschmelzen würden. Vielleicht möchtest du die Geschichte auch mehrmals lesen. Dann schließt du das Buch.

Zuguter Letzt noch Hakuins Rat an seine Schüler:

„Für das Studium des Zen gibt es drei grundlegende Voraussetzungen. Die erste ist ein großes Dach aus Glauben; die zweite ist ein großer Ball aus Zweifel; die dritte ist große Zielstrebigkeit. Jemand, dem auch nur eine dieser Eigenschaften fehlt, ist wie ein dreibeiniger Kessel mit einem abgebrochenen Bein. Was ist ein Dach aus Glauben? Es ist nichts weniger als der Glaube, daß jeder Mensch eine eigene, ihm innewohnende Natur besitzt, in die er Einsicht erlangen kann, und daß es ein grundlegendes Prinzip gibt, das er vollständig ergründen kann. *Nur dies.* Doch selbst wenn ein Mensch echten Glauben hat, wird er nicht bis auf den Grund der Koans vordringen und sie vollständig erforschen, wenn er nicht konzentrierten Zweifel mitbringt und ihn auf die Koans richtet, die schwer zu durchschauen sind. Und selbst wenn dieser Ball aus Zweifel sehr gefestigt sein sollte, wird es letztlich scheitern, wenn ihm nicht sehr große Zielstrebigkeit folgt. Das Studium des Zen ist wie Hölzer reiben, wenn man Feuer machen will. Der klügste Methode ist, ohne anzuhalten beständig weiterzumachen. Wenn du bereits beim ersten Anzeichen von Hitze anhältst und dann wieder, wenn der erste dünne Rauch aufsteigt, wirst du niemals einen Funken sehen, selbst wenn du jahrelang reibst. Mein Geburtsort liegt an der Küste, kaum hundert Schritte vom Strand entfernt.

Angenommen ein Mann aus meinem Dorf weiß nicht, wie Meerwasser schmeckt, und möchte losgehen und es herausfinden. Ob er nun nach einigen wenigen Schritten umkehrt oder erst nach hundert Schritten – wie kann er jemals den bittersalzigen Geschmack des Meeres erfahren? Aber ein Mann, der aus den fernen Koshu-Bergen kommt, wird, wenn er beständig weitergeht, in einigen Tagen die Küste erreichen und in dem Moment, in dem er seine Fingerspitze ins Wasser hält und ableckt, weiß er sofort, wie das Wasser selbst des entferntesten Ozeans schmeckt, er kennt den Geschmack der umliegenden Meere, der südlichen Strände und nördlichen Küsten, er weiß, wie das Wasser der Weltmeere schmeckt."

DIE ZEN KOANS

WER BIST DU?

Eines Abends war Isan Reiyu zu Gast bei Hyakujō, und sie saßen bis spät in der Nacht in der Stille seines Bergtempels. „Wer bist du?“ fragte Hyakujō. „Reiyu“, antwortete Isan. „Reche die Feuerstelle“, sagte Hyakujō. Isan tat, was ihm befohlen wurde, und sagte: „Ich kann keine Glut mehr finden.“ Hyakujō nahm die Zange, stocherte in der Tiefe und holte ein winziges Stück glühende Kohle heraus, zeigte es Isan und sagte: „Nur dies, siehst du?“ Isan war plötzlich erleuchtet. Er verbeugte sich tief und legte seine Anschauungen Hyakujō dar, welcher sagte: „Du bist auf deiner Reise an einer Kreuzung angekommen. In den Sutras ist geschrieben: 'Wenn du die Buddha-Natur erkennen willst, sollst du Zeit und Ursächlichkeit beobachten.' Wenn es soweit ist, wirst du es erkennen, so wie du dich an etwas erinnerst, was du vergessen hattest. Es ist nicht durch andere zu erlangen. Deshalb gibt es, wenn du erleuchtet bist, keinen Verstand, kein

er hat immer darauf gewartet

Dharma. Wenn du dich nur keinen Selbsttäuschungen hingibst und zwischen dem Buddha und dem Unerleuchteten keinen Unterschied machst, manifestiert sich deine ursprüngliche Natur. Nun hast du es erreicht. Pflege es mit Bedacht."

ISAN IST EINER der berühmtesten Schüler von Hyakujo und wurde selbst ein großer Meister. Er kam zu Hyakujo, als er 22 war, und blieb nach seiner Erleuchtung weitere 20 Jahre als *tenzo*, als Koch und Küchenmeister, bei ihm.

Eines Abends war Isan Reiyu zu Gast bei Hyakujō, und sie saßen bis spät in der Nacht in der Stille seines Bergtempels. „Wer bist du?" fragte *Hyakujō.* „Reiyu", antwortete Isan.

Laß dich durch Hyakujōs Frage nicht täuschen. Natürlich kennt er Isan, der ja schon seit einigen Jahren in seinem Kloster ist. Seine Frage ist: „Wer bist *du*? Kennst du dein innerstes Wesen?" Reiyu ist Isans Name, aber die Frage zielt auf etwas, das tiefer liegt, in seinem innersten Zentrum. Weißt du, wer in dir ist?

„Reche die Feuerstelle", sagte Hyakujō. Isan tat, was ihm befohlen wurde, und sagte: „Ich kann keine Glut mehr finden." Hyakujō nahm die Zange, stocherte in der Tiefe und holte ein winziges Stück glühende Kohle heraus, zeigte es Isan und sagte: „Nur dies, siehst du?" Isan war plötzlich erleuchtet. Er verbeugte sich tief und legte seine Anschauungen Hyakujō dar.

Hyakujō war dafür bekannt, daß er versuchte, seine Schüler in einen Bewußtseinszustand plötzlicher Leere zu schubsen, in plötzliche Erleuchtung. Um das zu erreichen, benutzte er, was immer gerade zur Verfügung stand. Als Isan keine Glut mehr in der Asche entdecken konnte, schabte er in der

Tiefe, brachte ein winziges Stückchen Kohle hervor und sagte: „Nur dies, siehst du?“ Und Isan war plötzlich erleuchtet. Er zeigte ihm, wie man nur noch ein Stück tiefer nach Innen gehen muß, in das Feuer, das im tiefsten Innern brennt, und man wird es finden, es ist da.

Isan verstand es sofort. Er muß schon eine große Reife besessen haben, und so reichte ein kleiner Schubs vom Meister ...

Isan verbeugte sich tief und legte seine Anschauungen Hyakujō dar, welcher sagte: „Du bist auf deiner Reise an einer Kreuzung angekommen. In den Sutras ist geschrieben: 'Wenn du die Buddha-Natur erkennen willst, mußt du Zeit und Ursächlichkeit beobachten.' Wenn es soweit ist, wirst du es erkennen, so wie du dich an etwas erinnerst, was du vergessen hattest. Es ist nicht durch andere zu erlangen. Deshalb gibt es, wenn du erleuchtet bist, keinen Verstand, kein Dharma. Wenn du dich nur keinen Selbsttäuschungen hingibst und zwischen dem Buddha und dem Unerleuchteten keinen Unterschied machst, manifestiert sich deine ursprüngliche Natur. Nun hast du es erreicht. Pflege es mit Bedacht.“

Du mußt es nicht suchen, du mußt dich nur daran erinnern. Es war schon immer da, du hattest es bloß vergessen. Jetzt ist dein Verstand leer geworden, alle Gedanken, die dir den Blick verstellt hatten, sind verschwunden und plötzlich hast du dich erinnert.

„Nur dies, siehst du?“

Nun hast du es erreicht. Pflege es mit Bedacht. Es ist ein Recht, das jeder Mensch von Geburt an hat, also halte dich nicht für etwas Besonderes, täusche dich nicht selbst. Und es ist nicht das Ende, das Leben hört hier nicht auf. Du mußt dich jeden Tag aufs Neue daran erinnern, daß du ein Buddha bist. Gehe tiefer und immer noch tiefer in dein Inneres, sogar über die Erleuchtung hinaus.

Wenn du dich Selbsttäuschungen nicht hingibst und zwischen dem Buddha und dem Unerleuchteten keinen Unterschied machst, manifestiert sich deine ursprüngliche Natur. Nun hast du es erreicht. Pflege es mit Bedacht.“

So einfach ist es. Vorher hast du geschlafen, jetzt bist du wach. Das ist alles.

Und Isan blieb bei Hyakujō. Er wurde der Koch, war verantwortlich für das Essen aller Mönche. Er zeigte seine Dankbarkeit seinem Meister, indem er sich niederbeugte und ihm dankte. Dann ging er zurück in seine Küche. Er lief nicht herum und verkündete „Ich bin jetzt erleuchtet, kommt zu mir und hört mir zu." Er ging einfach zurück in seine Küche, wusch den Reis, kochte ein Reisgericht...

WAS WIRD SICH EREIGNEN,
WENN DIE BLÄTTER FALLEN
UND DIE BÄUME KAHL WERDEN?

Ein alter Mann fragte Ummon:
„Was für eine Zeit ist das, wenn die Bäume sich verfärben und die Blätter zur Erde fallen?"
Ummon sprach: „Dann offenbart der goldene Wind sein ganzes Wesen."

HAST DU SCHON einmal im Herbst die Blätter fallen sehen?

Jedes Jahr färben sich die Blätter golden, und mit den ersten Herbststürmen verlassen sie die Bäume und tanzen mit dem Wind. Es ist ein wunderschönes Bild, ein Baum in der Herbstsonne, der Wind bläst und die Blätter werden in die Luft gewirbelt...

Es sind die Blätter, die den Wind golden färben. Der Baum, der im Sommer ein dichtes grünes Blätterdach trug, wird kahl und nackt. So wie der Wind der Meditation alle Gedanken wegbläst, bis nur leerer

Raum, eine leere Weite übrig bleibt, entblößt der Wind den Baum und läßt ihn in seiner puren Nacktheit zurück.

Der Baum steht da und freut sich, er läßt die Blätter gehen. Genau so, wie er sie aus sich herauswachsen ließ, läßt er sie nun weiterziehen, auf ihre nächste Reise. Ohne Groll, ohne daß er sie festhalten möchte, läßt er sie freudig ziehen. In diesem Einssein mit dem, was ist, liegt die Begegnung mit Gott.

Was für eine Zeit ist das, wenn die Bäume sich verfärben und die Blätter zur Erde fallen?

Ummon sprach: „Dann offenbart der goldene Wind sein ganzes Wesen."

So eine einfache Antwort.

Das passiert auch in der Meditation: Sie bläst alle deine Gedanken weg, bis dein Bewußtsein zum Vorschein kommt – in seiner ganzen Reinheit.

Es wird dich lehren, so zu sein wie der Baum: den Wind durch dein Blätterdach streichen zu lassen, dich dem Regen auszusetzen, der Sonne, selbst dem Sturm mit stiller Hingabe, Würde und Dankbarkeit.

WAS IST DAS TIEFSTE?

Ein Mönch fragte Dōgō: „Was ist das Tiefste?" Dōgō stand auf, kam von seinem Platz herunter, machte eine Verbeugung in der Art und Weise einer Frau und sagte: „Du bist von so weit hergekommen, und ich habe keine Antwort für dich."

Es mag so aussehen, als ob Dōgō dem Mönch nicht geantwortet hätte.

Tatsächlich aber hat er ihm eine Antwort gegeben. Nicht mit Worten, sondern mit seinem Verhalten.

„Was ist das Tiefste?"

Er kam von seinem Platz herunter und verbeugte sich vor dem Mönch in der Art und Weise einer Frau. Warum wie eine Frau? Er zeigt, daß es im tiefsten Innersten keinen Unterschied zwischen Mann und Frau gibt, denn das tiefste Innerste ist nicht auf den Körper beschränkt. Da ist Stille, da ist Schönheit, eine sanfte, liebevolle Schönheit – wie die einer Frau. In der Verbeugung liegen Demut und Sanftheit, „Ich verbeuge mich vor dir, so wie eine Frau sich verbeugen würde, in Ehrerbietung, in Frieden, mit Würde." Nicht so, wie ein Mann sich vor einem anderen Mann verbeugen würde. Dadurch zeigt er, daß das Tiefste nur durch Hingabe, durch Stille, durch Demut erfahren werden kann...

Doch der Mönch muß Dōgō angeschaut haben, ohne seine Geste zu verstehen. Wahrscheinlich wartete er auf Worte, auf eine Erklärung.

Er hat den stillen Hinweis nicht verstanden. Deshalb sagte Dōgō:

„Du bist von so weit hergekommen, und ich habe keine Antwort für dich."

Er hatte es versucht, aber der Mönch war nicht in der Lage, Dōgos Antwort anzunehmen. In dieser Situation übernahm Dōgo die Verantwortung für die Ignoranz des Mönchs. Keine Schuldzuweisung, kein Urteil, nur: „Ich habe es versucht. Du hast es nicht verstanden."

Das ist die Schönheit dieser Zen-Menschen – so mitfühlend, so liebevoll.

WAS IST
DEIN WAHRES SELBST?

Kyōgen war ein Gelehrter. Er hatte sehr viel studiert, und eine Zeitlang stand das seiner Erleuchtung im Wege. Eines Tages fragte Isan Kyōgen: „Als du mit unserem Lehrer Hyakujō warst, warst du so gescheit, daß du auf eine Frage zehn Antworten geben konntest und auf zehn Fragen hundert Antworten. Sag mir: was ist dein wahres Selbst – das Selbst, das existierte, bevor du aus dem Mutterleib kamst, bevor du Ost von West unterscheiden konntest?" Diese Frage verblüffte Kyōgen sehr, und er wußte nicht, was er sagen sollte. Er zermarterte sich das Gehirn und nannte alle möglichen Antworten, doch Isan wischte sie beiseite. Schließlich sagte Kyōgen: „Ich bitte dich, erkläre es mir." Isan sagte: „Was ich sage, entnehme ich meiner eigenen Einsicht. Wie könnte das dem Auge deines Verstandes gefallen?" Kyōgen blätterte in seinen Büchern und sah alle Aufzeichnungen durch, die er sich zu den Autoritäten der einzelnen Schulen gemacht hatte, aber er fand keine Worte, die er als Antwort auf Isans Frage gebrauchen konnte. Er seufzte und sagte: „Mit Bildern von Reiskuchen kann man keinen leeren Magen füllen."

Dann verbrannte er alle seine Bücher und Unterlagen und sagte: „Ich gebe das Studium des Buddhismus auf. Dann bleibe ich eben ein Mönch mit Reis und Haferschleim für den Rest meines Lebens und höre auf, mir den Kopf zu zerbrechen." Traurig verließ er Isan und arbeitete von nun als Grabwächter. Eines Tages, als er den Boden kehrte, schlug ein Stein an einen Bambus. Kyōgen blieb stehen, sprachlos, selbstvergessen. Dann brach er in schallendes Gelächter aus und wurde erleuchtet. Als er in seine Hütte zurückkehrte, vollzog er ein Reinigungsritual, zündete Räucherwerk an, huldigte seinem Meister Isan und sagte in tiefster Dankbarkeit: „Mein Meister, ich danke dir! Deine Güte mir gegenüber ist größer als die meiner Eltern. Wenn du mir die wahre Ursache erklärt hättest, als ich dich um eine Antwort bat, wäre ich nicht dahin gekommen, wo ich heute stehe." Kyōgens Worte zu seiner Erleuchtung lauten: Ein Schlag, und alles ist vorbei, kein Trick und keine Medizin sind nötig; eine jede Handlung drückt den Weg der Alten und Weisen aus. Mein Geist ist niemals niedergeschlagen, ich hinterlasse keine Spuren, Erleuchtung ist jenseits von Sprache, jenseits von Gesten; die sich emanzipiert haben, nennen sie das Unübertroffene.

MAN HAT UNS beigebracht, daß Wissen äußerst wichtig ist; je mehr Kenntnisse wir uns angeeignet haben, desto mehr Respekt und Ansehen genießen wir in der Welt. Wenn wir unser Inneres erforschen, wird dieses angesammelte Wissen zu einem Hindernis, wie ein Stein, der uns den Weg zu unserem wahren Selbst versperrt. Im Zen ist nur das von wirklichem Wert, was man selbst erfahren hat, nicht das, was man sich angelesen oder studiert hat. *Eines Tages fragte Isan Kyōgen: „Als du mit unserem Lehrer Hyakujō warst, warst du so gescheit, daß du auf eine Frage zehn Antworten geben konntest und auf zehn Fragen hundert Antworten. Sag mir: Was ist dein wahres Selbst - das Selbst, das existierte, bevor du aus dem Mutterleib kamst, bevor du Ost von West unterscheiden konntest?" Diese Frage verblüffte Kyōgen sehr, und er wußte nicht, was er sagen sollte. Er zermarterte sich das Gehirn und nannte alle möglichen Antworten, doch Isan wischte sie beiseite. Schließlich sagte Kyōgen: „Ich bitte dich, erkläre es mir." Isan sagte: „Was ich sage, entnehme ich meiner eigenen Einsicht. Wie könnte das dem Auge deines Verstandes gefallen?"*

Isan sagt: Ich habe die Antwort gefunden, aber sie wird dir nicht weiterhelfen. Was könnte meine Antwort dir geben? Sie würde deine Kenntnisse vermehren, aber sie würde dir nicht dabei helfen, dein eigenes Selbst zu erfahren. Es wäre so, als ob man den Finger anschaut, der auf den Mond zeigt, während der Mond den Himmel mit weichem, warmem Licht erhellt. Lasse dich ein auf dein eigenes Wesen, in dem Wissen keine Rolle spielt und dich nur behindern würde.

Nur du kannst eine Antwort finden auf die Frage: „Was ist dein wahres Selbst?" Kein Buch kann es dir erklären, kein anderer kann dir eine Antwort geben. Man muß nach Innen gehen und damit beginnen, seine innere Natur zu entdecken. Erst muß fremdes, angesammeltes Wissen beiseite geräumt werden, bevor das wahre Selbst zum Vorschein kommen kann, das Selbst, das schon da war, bevor du aus dem Mutterleib kamst.

Kyōgen blätterte in seinen Büchern und sah alle Aufzeichnungen durch, die er sich zu den Autoritäten der einzelnen Schulen gemacht hatte, aber er fand keine Worte, die er als Antwort auf Isans Frage gebrauchen konnte.

Kyōgen war ein großer Gelehrter und ein Wissenschaftler. Er hatte viele Meister gehabt, ihre Vorträge gehört und ihre Worte in seinen Notizen festgehalten. Er meinte es ehrlich, als er versuchte, die Antwort in seinen Notizen zu finden. Er suchte immer noch nach einer Antwort außerhalb seiner selbst, dachte, es müsse doch ein Buch, eine Schrift geben, die ihm sagen könne, wer er sei.

Kyōgen konnte natürlich keine Antwort finden.

Er seufzte und sagte: „Mit Bildern von Reiskuchen kann man keinen leeren Magen füllen.“
Dann verbrannte er alle seine Bücher und Unterlagen und sagte: „Ich gebe das Studium des Buddhismus auf. Dann bleibe ich eben ein Mönch mit Reis und Haferschleim für den Rest meines Lebens und höre auf, mir den Kopf zu zerbrechen.“ Traurig verließ er Isan und arbeitete von nun als Grabwächter. Eines Tages, als er den Boden kehrte, schlug ein Stein an einen Bambus. Kyogen blieb stehen, sprachlos, selbstvergessen.

Er muß völlig in seiner Arbeit aufgegangen sein, ohne zu denken oder vor sich hin zu träumen. Er kehrte einfach den Boden – mit der ganzen Totalität seines Seins. Plötzlich der Klang des Steins, der gegen den Bambus schlägt. Kyōgen ruhte so entspannt in sich selbst, so tief in seinem innersten Kern, daß er für einen Moment selbst zum Klang wurde. In diesem Augenblick fiel alles von ihm ab, was ihn von der Existenz getrennt hatte, und das erste Mal erkannte er sein wahres Selbst.

Dann brach er in schallendes Gelächter aus und wurde erleuchtet. Als er in seine Hütte zurückkehrte, vollzog er ein Reinigungsritual, zündete Räucherwerk an, huldigte seinem Meister Isan und sagte in tiefster Dankbarkeit: „Mein Meister, ich danke dir! Deine Güte mir gegenüber ist größer als die meiner Eltern. Wenn du mir die wahre Ursache erklärt hättest, als ich dich um eine Antwort bat, wäre ich nicht dahin gekommen, wo ich heute stehe.“

Er empfindet tiefe Dankbarkeit für seinen Meister und dankt ihm dafür, daß er ihm keine Erklärung gegeben, sondern statt dessen eine Situation geschaffen hat. In dieser Situation konnte die Frage „Wer bin ich?“ – wer steckt in diesem Kyōgen – sein Wesen durchdringen. Das Anliegen, es zu erfahren, erfüllte ihn so sehr, daß die Antwort sich ihm von selbst offenbarte.

WAS IST DER
URSPRÜNGLICHE HIMMEL?

Einmal fragte ein Mönch Dōgō:
„Selbst wenn Tausende von Meilen keine Wolke am Himmel ist, ist es dennoch nicht der ursprüngliche Himmel.
Was ist der ursprüngliche Himmel?"
Dōgō antwortete: „Heute ist ein guter Tag, den Weizen zu trocknen."

ES WAR EIN sonniger Tag, und sie waren auf dem Feld, um nach dem Getreide zu sehen. Die Gedanken des Mönches schweiften umher, als er den Himmel beobachtete, auf dem keine einzige Wolke zu sehen war – nichts als der reine blaue Himmel. Da tauchte plötzlich der Gedanke auf:

„Selbst wenn Tausende von Meilen keine Wolke am Himmel ist, ist es dennoch nicht der ursprüngliche Himmel. Was ist der ursprüngliche Himmel?"

DIES IST ALLES

Er wandte sich zum Meister um und fragte ihn: *„Was ist der ursprüngliche Himmel?“* und hoffte auf eine Erklärung.

Doch der Meister sagte nur: *„Heute ist ein guter Tag, den Weizen zu trocknen.“* Er sagt: „Hör auf zu denken. Halte den Strom der Gedanken an. Sei hier. Sei in der Gegenwart. Wozu brauchst du diese Tausende von Meilen des Himmels? Den ursprünglichen Himmel kannst du nur im Inneren finden. Wenn der Verstand aufhört unaufhörlich zu arbeiten, bist du im ursprünglichen Himmel. Sei einfach im *Hier* und im *Jetzt*.“

„Heute ist ein guter Tag, den Weizen zu trocknen.“

Was sonst? Du bist hier, der Weizen ist hier, die Sonne, der Wind… Wohin schweifst du ab? Alles, was du brauchst, ist hier. Wenn du nach Innen gehst, wirst du deinen ursprünglichen Himmel erkennen. Wenn der Strom der Gedanken aufhört, bleibt nur der ursprüngliche Himmel übrig. Wenn du völlig im Hier und Jetzt bist, brauchst du nichts anderes.

„Heute ist ein guter Tag, den Weizen zu trocknen.“

Es ist nicht kompliziert, es ist kein intellektuelles Problem, es ist eine Sache von stiller Bewußtheit, von reinem Sein.

Die Möglichkeit ist da, jeden Augenblick. Wenn kein Gedanke die innere Weite bewölkt, wird der ursprüngliche Himmel, der innere Himmel sich dir in seinem hellen Glanz und seiner Schönheit offenbaren.

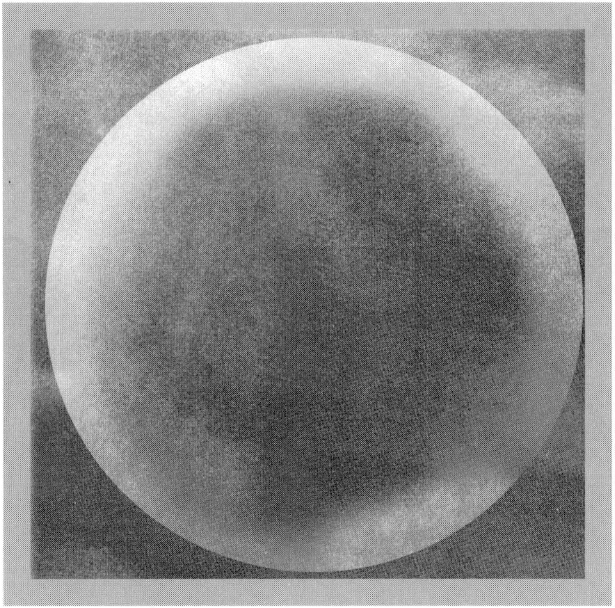

WIE KANN MAN DIE LEERE FASSEN?

Sekkyo fragte einen seiner Mönche: „Kannst du die Leere fassen?“ „Ich kann es versuchen“, sagte der Mönch und formte seine Hände in der Luft zu einem Gefäß. „Das ist nicht sehr gut“, sagte Sekkyo. „Du hast ja nichts drin.“ „Dann, Meister“, sagte der Mönch, „zeige mir bitte einen besseren Weg.“ Daraufhin packte der Meister die Nase des Mönchs und zog kräftig daran. „Autsch!“ schrie der Mönch, „du tust mir weh!“ „Das ist der Weg, die Leere zu fassen“, sagte Sekkyo.

IN DER EWIGKEIT der Existenz gibt es keine Grenzen. Sie ist ein unermeßlicher Ozean aus Nichts. Dieses Nichts ist wie ein Mutterleib, aus dem die Sterne, der Mond, die Sonne geboren werden und in den alles wieder zurückkehrt.

Sekkyo fragte einen seiner Mönche: „Kannst du die Leere fassen?“ „Ich kann es versuchen“,

Das Universum – eine Fülle von Leere

sagte der Mönch und formte seine Hände in der Luft zu einem Gefäß.

Der Mönch versucht, die Leere einzuschließen, einzufangen. Er läßt ihr keinen Raum. Die *geöffnete* Hand ist das Symbol, der gesamte Kosmos paßt in eine offene Hand. In einem entspannten Zustand, ohne Mühe, ist alles da, reines Sein…

„Das ist nicht sehr gut“, sagte Sekkyo.
„Du hast ja nichts drin.

“… Sekkyo packte die Nase des Mönchs und zog kräftig daran.

Stell dir einmal die folgende Situation vor: Der Meister stellt eine Frage, und du gibst eine Antwort. Plötzlich greift er nach deiner Nase und reißt daran. Die Überraschung ist so groß, daß alles zum Stillstand kommt. Kein Denken und Betrachten mehr, nur noch reines Sein. Und die Hände öffnen sich …

„Autsch!“ schrie der Mönch, „du tust mir weh!“

‘Autsch!’ ist der Schlüssel. Der Schock des plötzlichen Schmerzes macht dich wach, schafft eine konzentrierte Intensität… In diesem Augenblick wirst du, ohne daß du etwas tust, auf deine innere Leere zurückgeworfen, in die Unermeßlichkeit deines inneren Seins, in eine Leere, die sich bis in die Ewigkeit ausdehnt. Vom Verstand zum Nicht-Verstand. Nicht-Verstand hat keine Farbe, keine Form, kein Gewicht, es ist das reine Sein. Aus diesem Sein heraus wird alles geboren, und in diese Fülle kehrt auch alles wieder zurück. Aber sie wird nur in einem Augenblick unmittelbarerster Wahrnehmung erfahren. Ohne zu denken. „Autsch!“

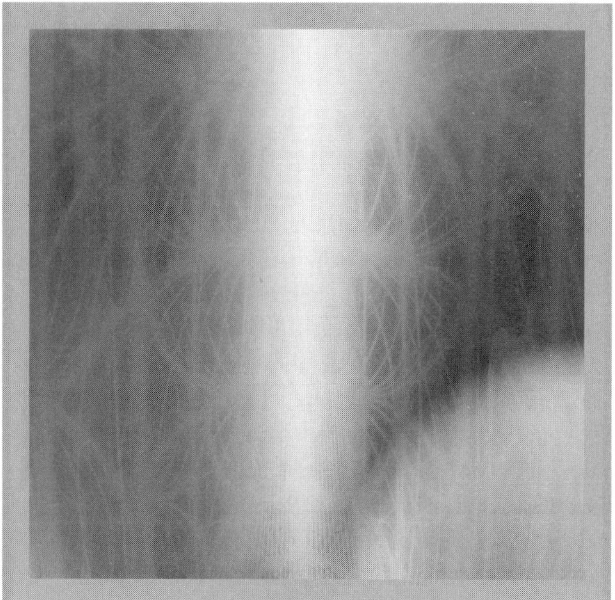

WIE KOMMT DIE GANS
AUS DER FLASCHE?

Ein großer Philosoph und Beamter, Riko, bat den wunderlichen Zen-Meister Nansen, ihm das alte Koan über die Gans in der Flasche zu erklären.
„Wenn ein Mann ein Gänseküken in eine Flasche steckt", sagte Riko, „und es füttert, bis es ausgewachsen ist, wie kann der Mann die Gans herauskriegen, ohne sie zu töten und ohne die Flasche zu zerstören?"
Nansen klatschte laut in die Hände und schrie: „Riko!"
„Ja, Meister", sagte der Beamte erschrocken.
„Siehst du," sagte Nansen, „die Gans ist raus."

DIES IST EINS der ältesten Koans, und wahrscheinlich hat jeder Meister mit ihm gearbeitet.

Du weißt, daß das völlig unmöglich ist: Entweder geht die Flasche kaputt, oder die Gans stirbt. Es gibt keine Möglichkeit, die

Gans zu retten, ohne die Flasche zu zerstören. Und keine der beiden Varianten ist erlaubt.

Denke daran, daß das Koan kein Rätsel ist, es kann nicht mit rationalem Denken gelöst werden. Es kann nur „aufgelöst" werden. Bei einem Rätsel muß man nur lange genug überlegen und die richtige Antwort kommt. Bei einem Koan muß man die Ebene verlassen, von der aus man die Sache betrachtet. Wenn wir in dem traumartigen Seinszustand bleiben, in dem wir uns normalerweise befinden, wird die Gans die Flasche niemals verlassen. In dem Augenblick, in dem wir aufwachen, ist sie draußen. Das Koan zeigt uns, daß die Antwort mit uns zu tun hat, mit unserem Bewußtseinsstand.

Wofür stehen die Gans und die Flasche? Sie sind Symbole für das Bewußtsein und den Körper. Die Gans steht für Bewußtsein, die Flasche für den Körper. Hast du dich jemals gefragt, wie das Bewußtsein in den Körper eintreten kann, wie es in solch einem kleinen Raum gehalten werden kann, wo es selbst doch unermeßlich, grenzenlos und unendlich ist? Stell dir diese Szene vor, der Beamte, ein Gouverneur, stellt diesem etwas merkwürdigen Zen-Meister Nansen eine Frage zu einem spirituellen Thema. Er erwartet eine Antwort, eine Lehre, und plötzlich schreit dieser Meister ihn an! „Riko!" schrie er und klatschte in die Hände. Plötzlich wird der Gouverneur in die Gegenwart zurückgebracht, vergißt sich selbst, seine Frage, die Vergangenheit, die Zukunft. Nur das Jetzt und das Hier zählen.

Und das Koan ist gelöst: *„Ja, Meister!"* In der Gegenwart des Meisters zeigte sich sein Bewußtsein, es ist nicht länger auf den Körper beschränkt. Nur er und der Meister – keine Gans, keine Flasche.

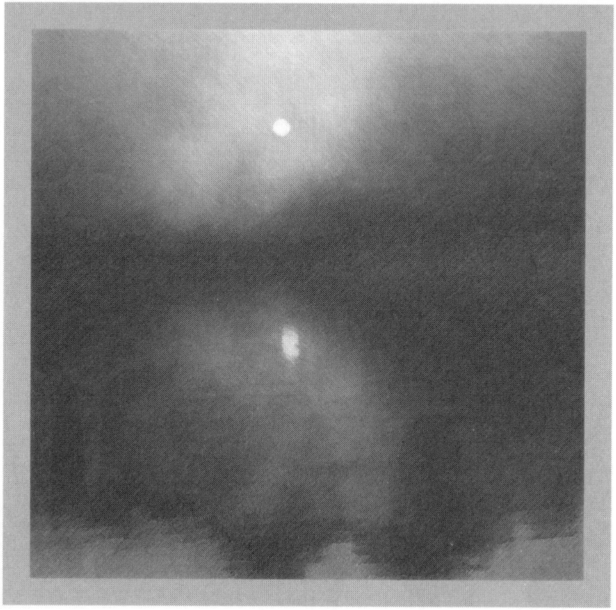

WAS IST DAS ERSTE PRINZIP
DER HEILIGEN LEHRE?

Kaiser Wu aus Liang fragte Bodhidharma: „Was ist das erste Prinzip der heiligen Lehren?“ Bodhidharma sagte: „Leere, nicht Heiligkeit.“ „Wer steht vor mir?“ „Kein Wissen.“ Der Kaiser verstand nicht, was das zu bedeuten hatte. Daraufhin überquerte Bodhidharma den Fluß und ging in das Land Wei. Der Kaiser sprach später mit Shiko über diese Begebenheit. Der fragte ihn: „Weißt du denn, wer dieser Mann ist?“ Der Kaiser sagte: „Kein Wissen“. Shiko sagte: „Er ist der Bodhisattva Kannon, der Bewahrer von Buddhas Herz-Siegel.“ Der Kaiser war voller Bedauern und wollte nach Bodhidharma schicken lassen, doch Shiko sagte: „Es hat keinen Zweck, einen Boten zu schicken, um ihn zurückzuholen. Selbst wenn alle Menschen ihm nachgingen, würde er nicht zurückkommen.“

Reines Sein — keine Grenzen

BODHIDHARMA WAR DER erste chinesische Meister des Ch'an, wie das Zen in China genannt wurde. Er war mit dem Schiff von Indien nach Südchina gekommen, wo er Kaiser Wu begegnete.

Kaiser Wu hatte jahrelang die Sutras von Gautama Buddha studiert. Seine Gelehrten übersetzten Buddhas Schriften aus dem Pali ins Chinesische, und der Kaiser unterstützte viele buddhistische Klöster. Deshalb wollte er, als Bodhidharma kam, natürlich wissen: *„Was ist das erste Prinzip der heiligen Lehren?"*

Er hatte drei Jahre auf Bodhidharmas Kommen gewartet. Er hatte so viel über diesen großen Meister gehört und war begierig, ihn über Buddhas Lehren zu befragen. Aber Bodhidharma war kein Gelehrter, er war nicht der Mann, der eine intellektuelle Antwort geben konnte. Er war nach China gekommen, um seine Stille, seine Erleuchtung, seine Essenz mit anderen zu teilen. In Wahrheit war er kein Buddhist, sondern selbst ein Buddha. *Bodhidharma sagte: „Leere, nicht Heiligkeit."*

Dies ist die Essenz von allem. Werde zur Leere. Gehe nach Innen, und du begegnest dieser Leere. Sie ist keine Leere im negativen Sinn, kein Vakuum, sondern pulsierende, lebendige Weite, die sich endlos ausdehnt.

„Leere, nicht Heiligkeit."

Alles, was es zu sagen gibt, sagt er in diesen wenigen Worten.

Das erste Prinzip ist Leere – nicht Heiligkeit. Wenn du es heilig nennst, würde das bedeuten, daß es auch etwas Unheiliges gibt. Wieder wärst du in der Welt der Dualität gefangen. Deshalb sagte er *„nicht Heiligkeit."* Unterscheidungen trifft nur der Verstand. In der Existenz wird alles gebraucht, alles ist Schönheit, jedes Lebewesen hat in diesem

Mysterium seine einzigartige Bedeutung. Dann fragte der Kaiser: *„Wer steht vor mir?" „Kein Wissen."*

Selbst das „Ich" ist weggefallen. Es gibt kein Ich mehr, das sagen könnte „ich weiß nicht". Ein reines, unschuldiges Wesen, *„Kein Wissen."*

Aber der Kaiser verstand ihn nicht, er hatte bisher nur Gelehrte kennengelernt, keine Meister. Als er Bodhidharma traf, war er nicht darauf vorbereitet, einem Mann wie ihm zu begegnen. Er verstand seine Sprache nicht.

Der Kaiser verstand nicht, was das zu bedeuten hatte. Daraufhin überquerte Bodhidharma den Fluß und ging in das Land Wei.

Bodhidharma ging einfach. Er spürte, daß man ihn nicht verstehen würde. Er ging weiter nach Loyang im Norden Chinas. Dort saß er neun Jahre lang und blickte auf eine Mauer aus Stein, bis sein erster Schüler, Eka, ihn dazu brachte, sich umzudrehen.

Der Kaiser sprach später mit Shiko über diese Begebenheit. Der fragte ihn: „Weißt du denn, wer dieser Mann ist?" Der Kaiser sagte: „Kein Wissen". Shiko sagte: „Er ist der Bodhisattva Kannon, der Bewahrer von Buddhas Herz-Siegel." Der Kaiser war voller Bedauern und wollte nach Bodhidharma schicken lassen, doch Shiko sagte: „Es hat keinen Zweck, einen Boten zu schicken, um ihn zurückzuholen. Selbst wenn alle Menschen ihm nachgingen, würde er nicht zurückkommen."

Ein Mann wie Bodhidharma würde nicht zurückkommen. Er hatte es versucht, aber seine Botschaft war nicht auf fruchtbaren Boden gefallen – sie wäre nicht verstanden worden. Er war ein sehr mutiger Mann. Er kümmerte sich nicht um Konventionen oder Hierarchien....

Wer auch immer vor ihm stand, sei er nun Kaiser oder nicht, immer hätte er die Frage kraft seiner eigenen Wahrheit beantwortet, und nicht, um jemandem zu gefallen. Als er sah, daß der Kaiser nicht in der Lage war, seine Botschaft anzunehmen, ging er einfach weiter. Er hätte keine Kompromisse gemacht. Die einzige Bindung, auf die er sich einließ, war die an die Wahrheit.

Soseki schrieb:
Alle Sorgen und Nöte
sind von meiner Brust abgefallen,
und ich spiele voller Freude
weit weg von der Welt.
Für einen Mann des Zen
gibt es keine Beschränkungen.
Der blaue Himmel muß sich schämen,
so klein zu sein.

DA IST EIN EDELSTEIN AM HIMMEL;
WIE KÖNNEN WIR IHN BEKOMMEN?

Ein anderes Mal sagte ein Mönch zu Nansen: „Da ist ein Edelstein am Himmel; wie können wir ihn bekommen?“ Nansen sagte: „Fälle den Bambus und mache eine Leiter; stelle sie an den Himmel und hole ihn dir!“ Der Mönch sagte: „Wie kann eine Leiter an den Himmel gestellt werden?“ Nansen sagte: „Wie kannst bezweifeln, daß du den Edelstein bekommen könntest?“

WENN EIN SCHÜLER zu einem Meister kommt, geht es um Vertrauen. Vertrauen in den Meister, daß er helfen wird, den Zweifel zu zerstreuen, daß er helfen wird, die Konditionierung, die man mitbringt, aufzulösen.

Vertraue dem Meister, der dich an der Hand hält, während er dich schüttelt und rüttelt und alles unternimmt, um deinen tiefen Schlaf zu stören. Er dreht dich immer wieder in die richtige Richtung, nach innen. Langsam, Schritt für Schritt geht der Schüler weiter und begegnet auf seinem Weg vielen Ängsten und Befürchtungen. Der Meister hat die Funktion eines Mahners. Er hat es geschafft, vom Verstand zum Nicht-Verstand zu gelangen, also ist das auch für seinen Schüler möglich. Er ist eine große Hilfe darin, die Aufmerksamkeit auf die Dinge zu lenken, die sich auftun, und nicht auf das, was im Verschwinden begriffen ist. Er sagt vielleicht: „Schau, wie sich Stille niedersenkt, welche Entspannung, welch friedliche Ruhe."

Beobachte weiter, schau dir die Dinge an, die sich gerade ereignen, und lasse die los, die gehen. Jeder Schritt bringt dich näher an die Quelle, in dein inneres Sein, so lange, bis du an der eigentlichen Quelle angekommen bist und „der ganze Ozean im Tautropfen aufgegangen ist", wie Kabir es ausdrückte.

Dann erkennst du, daß der Edelstein nicht am Himmel ist, sondern in dir.

Das versucht Nansen dem Mönch zu zeigen: Verschwende nicht deine Zeit mit dummen Fragen. Geh nach Innen, schau in dich hinein, aber mache kein intellektuelles Problem daraus. Deine Frage ist genauso, als ob du versuchen würdest, eine Bambusleiter an den Himmel anzulehnen. Sie führt zu nichts. Alles, was nötig ist, ist nach innen gehen, deinen eigenen Edelstein entdecken, der in deiner Mitte, deinem Zentrum auf dich wartet. Dort hören alle Fragen auf, dort gibt es nur Stille und Verschmelzen mit dem Universum.

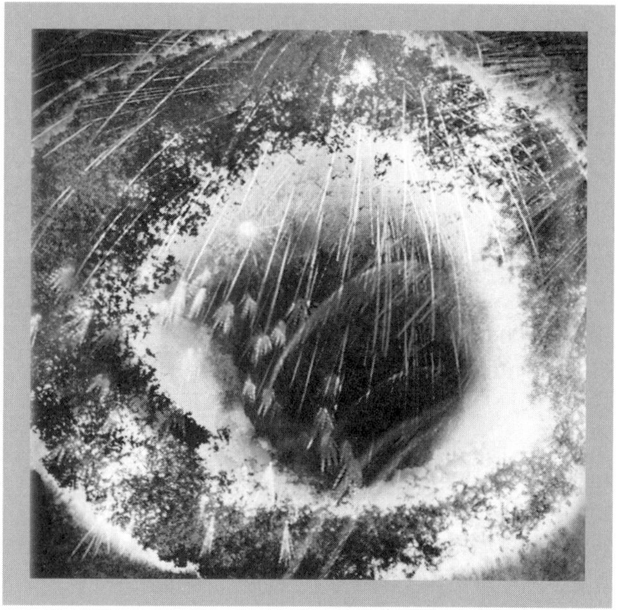

EINER DER ALTEN STAND IM SCHNEE
UND HACKTE SICH DEN ARM AB.
WELCHE WAHRHEIT SUCHTE ER?

Ein Mönch sagte: „Einer der Alten stand im Schnee und hackte sich den Arm ab. Welche Wahrheit suchte er?" Daizui antwortete: „Er hat sich den Arm nicht abgehackt." Der Mönch protestierte: „Er hat ihn sich aber abgehackt! Warum sagst du, er habe es nicht getan?" Daizui sagte: „Er genoß es, im Schnee zu sein."

VIELLEICHT KENNST DU die Geschichte von Bodhidharma, der neun Jahre lang vor einer Steinmauer saß und sich nicht umdrehte. Niemand konnte ihn dazu bringen, sich umzudrehen und mit den Menschen zu reden, die gekommen waren. Er wartete darauf, daß der Richtige kommen würde, einer, der die Augen und Ohren dafür hatte, zu verstehen, was er offerierte. Endlich kam er. Er stand hinter Bodhidharma, hackte sich den Arm ab, warf ihn vor Bodhidharma auf den Boden und sagte:

Die Unschuld des Nicht-Verstandes

„Dreh dich um, oder ich hacke mir auch den Kopf ab.“ Bodhidharma drehte sich sofort um und sagte „Du bist gekommen. Ich habe gewartet, bis du kommst.“ Dieser Mann wurde schließlich auch Bodhidharmas Nachfolger.

Bodhidharma wartete auf jemanden, dessen Anliegen, sich selbst zu erkennen, derart groß war, daß er bereit war, sogar sein Leben dafür zu geben.

Ein Mönch sagte: „Einer der Alten stand im Schnee und hackte sich den Arm ab. Welche Wahrheit suchte er?“ Daizui antwortete: „Er hat sich den Arm nicht abgehackt.“ Der Mönch protestierte: „Er hat ihn sich aber abgehackt! Warum sagst du, er habe es nicht getan?“

Den Fakten nach stimmt das, die Geschichtsschreibung berichtet es so. Er hackte sich den Arm ab. Die Wahrheit aber ist, er hat sich den Arm nicht abgehackt. Er war so glücklich, daß er seinen Meister gefunden hatte, er vertraute in tiefer Dankbarkeit.

Daizui sagte: „Er genoß es, im Schnee zu sein.“

Das ist die Haltung von Daizui. Ja, er hat sich den Arm abgehackt, aber er hat es genossen. Er war so aufrichtig in seiner Suche, seinem Anliegen, die Wahrheit zu finden, daß es ihm nichts bedeutete, einen Arm zu opfern. Eines Tages wird er sterben, und sein Körper wird wieder in die Erde eingehen, aber nun hat er seinen Meister gefunden. Er hat seine Liebe, seine Entschlossenheit gezeigt: „Bitte nimm mich als deinen Schüler an. Ich bin bereit, dir mein Leben zu geben.“ Und Bodhidharma drehte sich um.

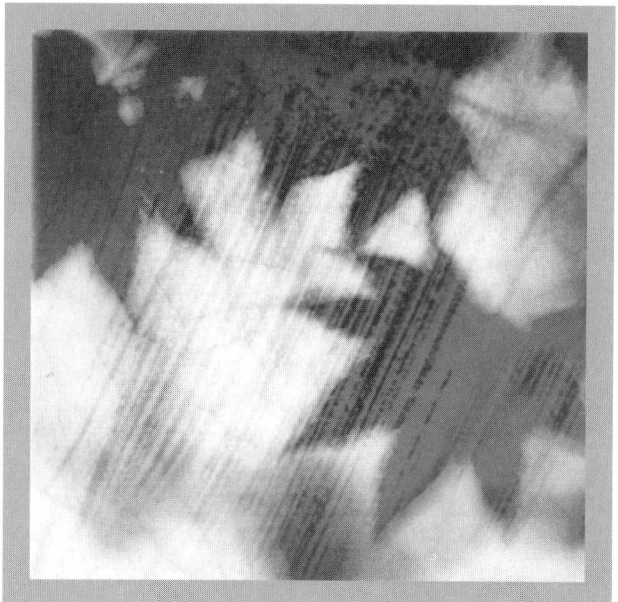

WER IST ER, DER VON
ALLEN DINGEN UNABHÄNGIG IST?

Als Hō Koji zum ersten Mal Sekitō begegnete, fragte er: „Wer ist er, der von allen Dingen unabhängig ist?“ Noch bevor er seine Frage beenden konnte, verschloß Sekitō mit seiner Hand Kojis Mund. Da machte Koji eine tiefe Erfahrung und drückte sie mit den folgenden Worten aus: „Täglich, nichts Bestimmtes, nur ein Nicken zu mir selbst. Nichts auszuwählen, nichts aufzugeben. Kein Kommen, kein Gehen. Niemand in Purpur. Blaue Berge ohne ein Stäubchen. Ich übe mich in verborgenen und feinen Kräften, indem ich Wasser trage und Feuerholz schultere.“ Später, als er kam, um Baso zu besuchen, fragte Koji wieder „Wer ist er, der von allen Dingen unabhängig ist?“. Baso sagte: „Wenn du alles Wasser im Yangtze-Fluß getrunken hast, werde ich es dir sagen.“ Da machte Koji eine weitere tiefe Erfahrung und formulierte einen weiteren Vers: „Die zehn Richtungen laufen zusammen, jede lernt, nichts zu tun. Dies ist die Halle, in der sich Buddha übte; der Verstand ist leer, alles ist zu Ende.“

NUR IN DER STILLE...

Als Hō Koji zum ersten Mal Sekitō begegnete, fragte er: „Wer ist er, der von allen Dingen unabhängig ist?" Noch bevor er seine Frage beenden konnte, verschloß Sekitō mit seiner Hand Kojis Mund. Da machte Koji eine tiefe Erfahrung und drückte sie mit den folgenden Worten aus ...

Was war geschehen? Bevor er die Frage, „*Wer ist er, der von allen Dingen unabhängig ist?*", gestellt hatte, verschloß Sekitō mit seiner Hand Kojis Mund...

In der Art und Weise des Zen drückt er aus, ohne Worte dafür zu benutzen, daß Hō Kojis Frage nutzlos ist. Stelle keine Fragen, deren Antwort nur eine Erfahrung sein kann. Indem er mit seiner Hand Kojis Mund verschließt, zeigt er ihm, daß es keine Antwort gibt, die in Worte gefaßt werden könnte. Du mußt nach innen gehen, die Antwort entdecken und für dich selbst herausfinden, wer das ist, der von allen Dingen unabhängig ist. Verschließe deine Sinne für die Außenwelt, und schaue nach innen. Wenn alle Energie, die normalerweise dafür gebraucht wird, um nach außen zu gehen, umgedreht wird, um das eigene Wesen zu entdecken, hört der Verstand auf, sein Karussell zu drehen und in dieser Stille kann die Antwort gefunden werden.

Er drückte seine Erfahrung in einem Vers aus:

Täglich, nichts Bestimmtes,
nur ein Nicken zu mir selbst.
Nichts auszuwählen, nichts aufzugeben.
Kein Kommen, kein Gehen. Niemand in Purpur.
Blaue Berge ohne ein Stäubchen.
Ich übe mich in verborgenen und feinen Kräften,
indem ich Wasser trage und Feuerholz schultere.

So einfach ist es. Nichts auswählen, keine Anstrengung. Was immer das Leben bringt, ich werde es annehmen. Nicht wie eine der organisierten Religionen, die die Menschen zwingt, zwischen Gut und Böse, Heiligem und Sünder zu wählen. Nichts auszuwählen, nichts aufzugeben. Nur *dieses* Leben.

Ich übe mich in verborgenen und feinen Kräften, indem ich Wasser trage und Feuerholz schultere.

Was meint er mit verborgenen und feinen Kräften? Ein Zeuge dessen zu sein, was auch immer du tust. Wenn du Wasser trägst, nur *dies*. Das ganze Sein wird Wassertragen, nicht Träumen, nicht Denken, es geht auf in *dieser* Handlung, völlig verloren in *diesem*.

Später, als er kam um Baso zu besuchen, fragte Koji wieder: „Wer ist er, der von allen Dingen unabhängig ist?" Baso sagte: „Wenn du alles Wasser im Yangtze-Fluß getrunken hast, werde ich es dir sagen."

Es ist dieselbe Frage, doch Baso hatte seine eigene Art, sich auszudrücken. Das ist das Schöne an den Zen-Meistern: Sie haben alle die gleiche Erfahrung gemacht, doch wie sie sie ausdrücken und sinnlich erfahrbar machen, ist ganz einzigartig.

Baso sagt, wenn du etwas so Unmögliches fertigbringst, wie das Wasser im Yangtze-Fluß auszutrinken, dann beantworte ich dir deine Frage. Genauso unmöglich wie diese Aufgabe zu vollbringen ist, ist es für mich, deine Frage zu beantworten. Es kann nur durch deine Erfahrung geschehen. Ich habe es erfahren, aber das bringt dich nicht weiter. Du mußt nach innen gehen, zum stillen Beobachter werden und die Antwort suchen. Dann wird sich deine Frage einfach auflösen, so wie das Eis in der Sonne schmilzt.

Und Koji hat verstanden:

Da machte Koji eine weitere tiefe Erfahrung und formulierte einen weiteren Vers: „Die zehn Richtungen laufen zusammen, jede lernt, nichts zu tun. Dies ist die Halle, in der sich Buddha übte; der Verstand ist leer, alles ist zu Ende."

In diesem Nicht-Tun, in dieser Stille laufen die zehn Richtungen zusammen und verschmelzen...

Jede lernt, nichts zu tun. Dies ist die Halle, in der sich Buddha übte... Verlerne das Tun, lerne zu sein. Vom Verstand zum Nicht-Verstand, vom Denken zum Nicht-Denken.

Daio schrieb:
Der Himmel vollkommenen Zusammenseins
ist überall klar.
Das Wasser ist lebendig,
die Augen der Weiden sind grün.
Warum sind die Menschen heutzutage
in solch großer Eile?
In jedem Land gibt es
den Himmel vollkommenen Zusammenseins.
Diejenigen, die geradewegs hinein gehen,
sind selten.

WAS IST DIE LOTUSBLÜTE,
WENN SIE NOCH NICHT AUS DEM
WASSER HERAUSGEKOMMEN IST?

Ein Mönch fragte Chimon:
„Was ist die Lotusblüte,
wenn sie noch nicht aus dem Wasser
herausgekommen ist?"
Chimon sagte: „Die Lotusblüte".
Der Mönch fragte Chimon:
„Und wenn sie aus dem Wasser heraus ist?"
Chimon sagte: „Die Lotusblätter."

ALS DER GROSSE Zen-Meister der Moderne, Osho, dieses Koan hörte, kommentierte er:

Was ist, ist.
Es ist nie anders.
Seine Formen unterscheiden sich,
aber sein Wesen bleibt dasselbe.
In den Formen leben,
heißt in Illusionen leben.
Das Wesen erkennen,
heißt die Welt transzendieren.
Alles, was nötig ist, ist sehen.

aLLes ist

Was du sehen wirst, ist bereits da –
ist da seit Ewigkeiten ...
es wartet und wartet und wartet ...
Dies ist mein Kommentar.

EINE LOTUSBLÜTE IST eine Lotusblüte. Unsere eingeschränkte Wahrnehmungsfähigkeit sieht sie in ihren verschiedenen Zuständen, aber selbst in ihrem Samen ist die Lotusblüte eine Lotusblüte. Einen Moment lang war sie der Same, im nächsten Moment die Blätter, dann die Blüte, und dann gibt es keine Lotusblüte mehr, nur noch den leeren Teich.

Chimons Aussage enthält das alles: kein Anfang, kein Ende. Nur Sein.

So wie die Wolken über den Himmel ziehen, kommen und gehen auch die Blüten.

Das Herz-Sutra sagt, daß alles, was durch die Sinne erkannt werden kann, nichts anderes ist als Leere, und Leere ist nichts anderes als alle Dinge, die über die Sinne wahrgenommen werden. In ihrer wahren Natur sind alle Dinge vergänglich und haben ihre Wurzel in der Leere.

Das Wesen sehen,
heißt die Welt transzendieren.
Alles, was nötig ist, ist sehen.

Um die wahre Natur der Dinge zu sehen, muß man die Welt jenseits ihrer Erscheinungen erkennen können.

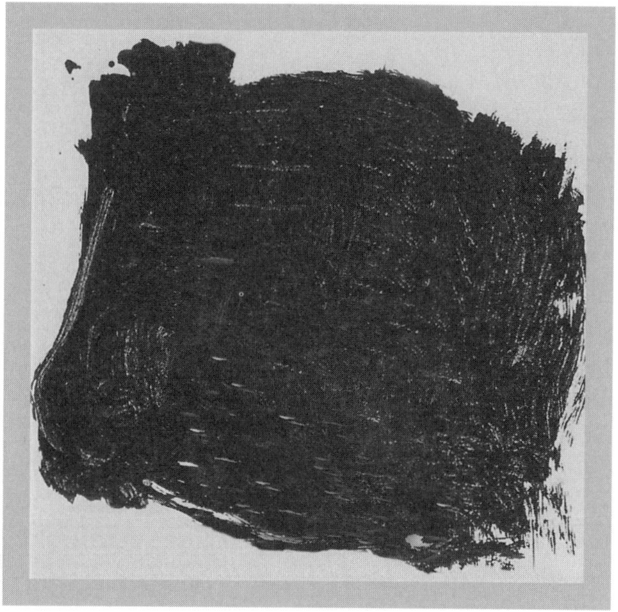

WAS IST DAS
LICHT EINES MENSCHEN?

Ummon sprach zur Versammlung seiner Schüler und sagte: „Jeder hat sein eigenes Licht. Wenn er versucht, es zu sehen, ist nur Dunkelheit. Was ist das Licht eines Menschen?“ Später, sagte er, anstelle der Schüler: „Die Eingangshalle und das Tor.“ Und dann: „Die Dinge preisen kann nicht besser sein als nichts“.

WENN DU NICHT bist, bist du Licht. Wenn du bist, ist das Ich in der Dunkelheit gefangen.

Je weniger vom Ich, vom Ego vorhanden ist, desto mehr Licht ist da. Von dem Augenblick an, in dem das persönliche Ich völlig mit der Existenz verschmolzen ist, in ihr aufgegangen ist, ist nur noch Licht übrig.

Wenn er versucht, es zu sehen, ist nur Dunkelheit.

Nur ein strahlendes Licht

Die Anstrengung des Versuchens ist das Hindernis dafür. Nur in Entspannung, in Verschmelzung, wenn das Ich verschwunden ist, ist Licht. Es ist nicht das Licht eines Einzelnen, es ist das Licht, das an der Lebensquelle all dessen ist, was existiert.

Später, sagte er, anstelle der Schüler: „Die Eingangshalle und das Tor.“

Es ist wieder ein und dasselbe, auf das er hinweist. In dem Moment, in dem du bist, ist Dunkelheit, in dem Moment, in dem es dich nicht mehr gibt, ist Licht. *Und dann: „Die Dinge preisen kann nicht besser sein als nichts“.*

Nur das Nichts. Kein Ding (no-thing) und auch nicht das Preisen der Dinge. Nicht einmal Einssein ... Einssein beinhaltet immer noch Dualität, deshalb sagt er *nichts (no-thingness)*. Gemeint ist kein dunkles, leeres Vakuum – was bleibt, ist eine Weite, ein Nichts, gefüllt mit strahlendem Licht, einem Ozean aus Licht.

WIE HEISST DU?

Kyōzan fragte Sanshō: „Wie heißt du?“
Sanshō sagte: „Ejaku.“
Kyozan sagte: „Ich heiße Ejaku!“
Sanshō sagte: „Ich heiße Enen!“
Kyōzan lachte aus vollem Herzen.

WENN DICH JEMAND nach deinem Namen fragt, gibst du normalerweise sofort und ohne zu zögern die Antwort: Ich heiße so und so. Das ist dann oft der Anfang einer langen Geschichte, in der auch deine Frau vorkommt, deine Kinder, das Haus, in dem du lebst, dein Alter und dein Beruf. Versuche es doch einmal, und du kannst beobachten, wie dein Unterbewußtsein funktioniert!

„Wie heißt du?“

In der Welt der Formen und Bezeichnungen glauben wir all dem, was wir 'Tatsachen' nennen. In der inneren Welt sind all diese Etiketten bedeutungslos. Dort sind wir namenlos, kein Etikett ist nötig, um uns vom Rest zu unterscheiden, denn dort sind wir eins mit der Welt, dort sind wir die Welt. Wenn wir geboren werden, sind wir noch namenlos, und wenn wir sterben, geben wir unseren Namen ab. In der Zeit dazwischen aber identifizieren wir uns mit dem Etikett, das man uns aufgeklebt hat. Die Antwort, die der Wahrheit am nächsten kommt, ist die von Bodhidharma, als ihn der Kaiser fragte „Wer bist du?" und er antwortete „Kein Wissen". Die beiden Meister, die den Dialog um den Namen führen, sind erleuchtet. Sie wissen, daß die Frage nach dem Namen eine sehr unwesentliche Angelegenheit ist. Was steckt in einem Namen? Er kann schließlich jederzeit geändert werden.

Kyōzan fragte Sanshō: „Wie heißt du?" Kyōzan, der diese Frage an Sanshō, einen anderen Zen-Meister richtet, stellt ihn auf die Probe: Gibt es noch irgendeine Bindung an die Form, oder hast du deine eigene Leere, dein 'Kein Wissen' gefunden?

Sanshō hätte antworten können: „Ich heiße Sanshō", aber er sagte: „Ich heiße Ejaku!" Er spielte mit der Antwort. Er hätte auch sagen können: „Ich habe keinen Namen mehr", doch das wäre nicht die Antwort eines Zen-Meisters gewesen. Er nahm also die Einladung zum Spielen an und sagte: „Ich heiße Ejaku."

Ejaku war der Name von Kyōzan, bevor er erleuchtet wurde. Den Namen Kyōzan hatte sein Meister ihm nach der Erleuchtung gegeben.

Kyōzan war bestimmt überrascht, nach so langer Zeit seinen alten Namen wieder zu hören. Als Sanshō sagte: „Ich heiße Ejaku", sagte Kyōzan „Ejaku? *Ich* heiße Ejaku!" *Sanshō sagte: „Ich heiße Enen!" Kyōzan lachte aus vollem Herzen.*

Auch Enen war Kyōzans Name, sein Spitzname aus seiner Kindheit. Ejaku war sein offizieller Name, doch die ganze Familie und alle Freunde nannten ihn Enen. Sanshō spielte das Spiel gut. Statt seinen eigenen Namen als Antwort zu geben, drehte er die Frage einfach um. Er sagte: „Ich heiße Ejaku" und beantwortete damit Kyōzans Frage, ohne sich in der Schlinge zu verfangen, die Kyōzan für ihn gelegt hatte.

Hätte seine Antwort „Sanshō" gelautet, hätte er gezeigt, daß er noch in der Welt der Formen und Bezeichnungen war. Hätte er gesagt, er sei „nicht Sanshō" – wer ist er dann?

Sanshō zeigte, daß er Kyōzans Absicht wohl verstanden hatte. Er ließ sich nicht einfangen. Er drehte die Sache einfach um. Er spielte mit den Namen, drehte sie um und zeigte damit, daß er wirklich jegliche Identifikation mit Formen und Bezeichnungen hinter sich gelassen hatte. Was bleibt, ist endlose Namenlosigkeit, die auftaucht und wieder eintaucht in eine Leere von Ewigkeit – in ihr ist das ganze Universum enthalten.

Ein Zen-Mönch schrieb:
Du, vor mir stehend,
oh, mein ewiges Selbst!
Seit dem ersten flüchtigen Blick
bist du meine heimliche Liebe.

WOHIN GEHT DIE RUNDUNG DES MONDES,
WENN ER ZUR SPITZEN SICHEL WIRD?

Eines Tages betrachtete Kyōzan zusammen mit Sekishitsu den Mond und fragte ihn:
„Wohin geht die Rundung des Mondes, wenn er zur spitzen Sichel wird?"
Sekishitsu sagte: „Wenn er spitz ist, ist er doch immer noch rund."

ES IST EINE Frage der Wahrnehmung. Unsere Wahrnehmung ist beschränkt, und deshalb denken wir leicht, daß eine Sache, die sich aus unserem Blickfeld entfernt, auch tatsächlich abnimmt.

Wenn es spitz ist, ist es immer noch rund. Wenn es rund ist, ist es immer noch spitz.

Wenn der Mond eine spitze Form annimmt, sieht es aus, als ob sie sich von seinem runden Zustand unterscheidet, obwohl er doch in Wirklichkeit unverändert bleibt. Der Mond bleibt der gleiche, doch die Erde dreht sich und somit verändert sich die Ansicht des Mondes. Der Mond selbst verändert seine Form nicht. Er ist immer da und reflektiert das Licht der Sonne. Es ist einfach so, daß wir ihn manchmal sehen, und manchmal scheint er verschwunden zu sein.

Beide Zustände sind nur unterschiedliche Erscheinungsweisen derselben Sache. In seiner wahren Natur, an seiner eigentlichen Quelle ändert sich nichts. Es sind unterschiedliche Manifestationen des essentiellen Seins. In seinem Zentrum gibt es nur Sein, das sich zu unterschiedlichen Zeiten in der einen oder anderen Weise darstellt. Es ist wie ein Spiegel, der alles reflektiert, was sich ihm nähert. Wenn du vor einem Spiegel stehst, spiegelt er dein Bild. Wenn du weggehst, ist der Spiegel wieder leer.

Der Mond ist in dieser Geschichte ein Symbol für dein eigenes Wesen. Es ist immer da, immer bereit, zu scheinen. Es verläßt dich nie. Vielleicht bist du manchmal nicht in der Lage, es zu sehen, aber es ist immer da. Du mußt nur deinen Kopf einmal drehen, einmal nach innen statt nach außen schauen, und der Mond wird da sein.

Dem Mond selbst ist es einerlei, ob er gesehen wird oder nicht. Er ist reines *Sein*. Werde wie der Mond, still, gelassen, wunschlos...

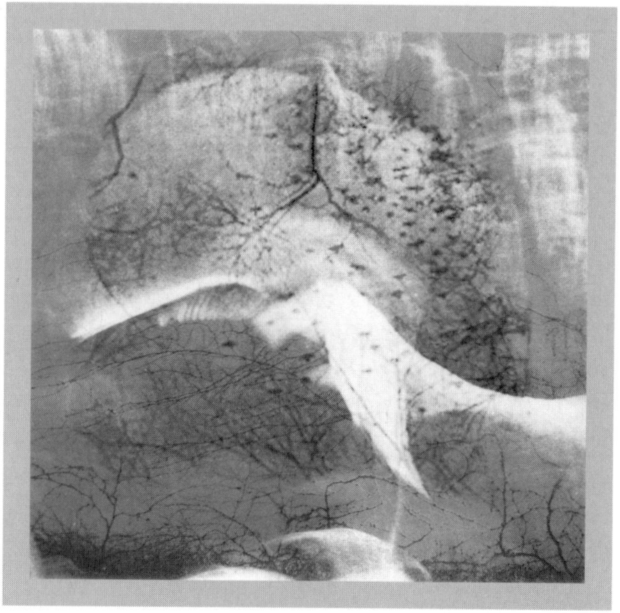

WAS IST DER WEG DER VÖGEL?

Ein Mönch sagte zu Tōzan: „Du rätst den Lernenden immer, den Weg der Vögel einzuschlagen. Was ist der Weg der Vögel?" Tōzan sagte: „Auf ihm begegnest du niemandem." Da fragte der Mönch: „Wie können wir uns auf diesen Weg machen?" Tōzan antwortete: „Durch Freiheit vom Ego und bei jedem einzelnen Schritt aufmerksam sein." Der Mönch sagte: „Ist nicht der Weg der Vögel dasselbe wie die ursprüngliche Natur eines jeden?" Tōzan sagte: „Oh, Mönch, warum stellst du alles auf den Kopf?" Der Mönch fragte: „Was ist das für ein Ort, wo man alles auf den Kopf stellt?" Tōzan sagte: „Wenn es kein heilloses Durcheinander gäbe, wie könnte ein Diener zum Herr werden?" Der Mönch fragte: „Was ist unsere ursprüngliche Natur?" Tōzan antwortete: „Nicht den Weg der Vögel einzuschlagen."

In die Weite des Universums davonziehen

Hast du einmal Vögel beobachtet, wie sie über den Himmel ziehen? Sie hinterlassen keine Spuren. Alles, was bleibt, ist das pure Nichts. Es bleibt unberührt. Dies ist der Weg der Vögel, wieder ein Niemand zu werden, ein Nichts, ein freier Himmel ...

Da fragte der Mönch: „Wie können wir uns auf diesen Weg machen?“ Tōzan antwortete: „Durch Freiheit vom Ego und bei jedem einzelnen Schritt aufmerksam sein.“

Er sagt, es ist sehr einfach: Sei im Hier und Jetzt. Großartige intellektuelle Konzepte sind nicht nötig, sie wären auch nur im Wege. Sei *im Hier*, und der weite Himmel wird sich für dich öffnen, und sei *im Jetzt* und du wirst zum ersten Mal einen Einblick in das Universum bekommen. Immer nur einen Schritt vor den anderen setzen, wach sein, das Ego hinter sich lassen... Zum reinen Sein werden, vom Verstand zum Nicht-Verstand gelangen. Offenbar hatte der Mönch es nicht verstanden. Solange der Verstand die Zügel in der Hand hält, hat der Diener die Kontrolle über alles. In dem Moment, in dem es nur reines Bewußtsein gibt, ist der wahre Herr nach Hause gekommen. Das heillose Durcheinander hat ein Ende, und der Verstand wird wieder zum Diener.

Der Mönch fragte: „Was ist unsere ursprüngliche Natur?“ Tōzan antwortete: „Nicht den Weg der Vögel einzuschlagen.“

Tōzan hatte die ganze Zeit versucht, dem Mönch zu helfen, eine Einsicht jenseits seines Verstandes zu bekommen. Vielleicht kreiert diese anscheinend widersprüchliche Aussage die Lücke, die nötig ist, um die Gedanken zum Stillstand zu bringen. Nur eine kleine Lücke ist nötig, und das wahre Gesicht kann zum Vorschein kommen.

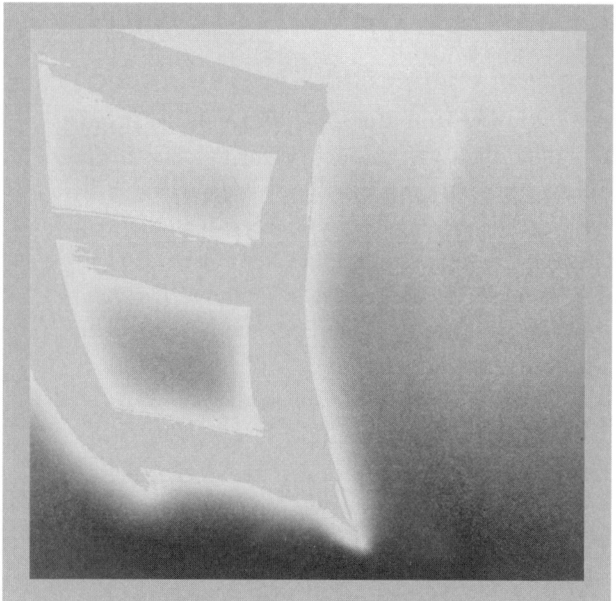

WAS IST DIE WIRKLICHE
FORM DES UNIVERSUMS?

Als ein Mönch Kassan fragte,
„Was ist der Weg?", antwortete er:
„Das Licht der Sonne überflutet unsere Augen;
zehntausend Meilen weit gibt es keine einzige
Wolke am Himmel."
„Was ist die wirkliche Form des Universums?"
fragte der Mönch.
„Die Fische, die im klar fließenden Wasser
spielen, machen ihre Fehler",
antwortete Kassan.

NUR EIN WEITER blauer Himmel, keine Wolke, soweit man blickt, Sonnenstrahlen, die dich wärmen, einfach nur *dieses* ... Unermeßliche Weite, spurenlos, alle Gedanken sind verschwunden.

Was ist die wirkliche Form des Universums?" fragte der Mönch. „Die Fische, die im klar fließenden Wasser spielen, machen ihre Fehler", lautete die Antwort Kassans.

Kein Fußabdruck im blauen Himmel

Wieder die gleiche Botschaft: Mache die Dinge nicht kompliziert. *Sei* einfach. Der Fisch im Meer kennt keinen Durst.

Er ist einfach nur da, macht vielleicht hier und da einen Fehler, aber das ändert nichts an seinem essentiellen Sein.

Höre auf, deine Fehler zu bereuen.

Höre auf, die Vergangenheit zu beurteilen, höre auf, etwas gut oder schlecht zu finden, gehe einfach immer tiefer in die Stille. Nach und nach wirst du wie ein stiller See werden, dessen ruhiges, friedliches Wasser den Mond widerspiegelt.

Manchmal wirft ein Windhauch kleine Wellen auf, die das Spiegelbild des Mondes verzerren, doch wenn der Wind sich gelegt hat, wird es wieder ein stiller See in sternklarer blauer Nacht.

Beschäftige dich nicht mit komplizierten Fragen, sammle deine Energie, um nach innen zu gehen und dein Inneres zu erkunden. Eines Tages wirst du das Universum in dir finden. Dann wirst du erkennen, daß du nicht Teil des Kosmos bist, sondern du bist der Kosmos. Dann hast du das gefunden, was Osho *die Ausdehnung des Bewußtseins zum Grenzenlosen, zum Ewigen,* nennt.

Dann bist du im Zentrum des Universums. Und plötzlich überflutet das Licht der Sonne deine Augen; Zehntausende von Meilen weit gibt es keine einzige Wolke am Himmel.

WENN ALLE GEISTIGE AKTIVITÄT
ZUM STILLSTAND KOMMT,
WIE IST ES DANN?

Ein Mönch fragte Ummon:
„Wenn alle geistige Aktivität zum Stillstand kommt, wie ist es dann?“
Ummon sagte: „Bring die Buddhahalle hierher, wir werden sie zusammen wiegen!“
Der Mönch sagte: „Weichst du jetzt der Frage nicht aus?“
Ummon rief: „Kwatz!“ und sagte dann:
„Du Plünderer der Leere!“

DER MÖNCH NIMMT nicht wahr, daß seine Frage ein Paradoxon ist, daß sie mit Worten nicht beantwortet werden kann. Noch dazu kann kein anderer als du selbst die Antwort geben. Statt den Meister zu befragen, solltest du anfangen, dich selbst zu erforschen. Still sitzen, deine Gedanken beobachten, wie sie vorüberziehen, ohne dich mit ihnen zu identifizieren, einfach nur beobachten, bis die Momente kommen, wo der Strom der Gedanken sich legt und sich dein innerer Himmel öffnet. Aber du mußt es erst erfahren, es nützt nichts, wenn man dir etwas darüber erzählt.

Deshalb sagte Ummon: *„Bring die Buddhahalle hierher, wir werden sie zusammen wiegen!"*

Die Buddhahalle ist der Ort, in der die Mönche zusammenkommen, um dem Meister zuzuhören und um zu meditieren. Dieser Dialog muß außerhalb der Halle stattgefunden haben, deshalb sagte Ummon: *„Bring die Buddhahalle hierher, wir werden sie zusammen wiegen!"*

Der Mönch sagte: „Weichst du jetzt der Frage nicht aus?"

Auch der Mönch erkannte, daß Ummons Aussage absurd war, aber er merkte nicht, daß seine Frage genauso unmöglich war. Die Buddhahalle herzubringen…

„Du verlangst etwas Unmögliches! Kannst du mir nicht einfach meine Frage beantworten?"

Ummon rief: „Kwatz!"

„Kwatz!" ist ein Ausruf im Zen, der direkt in dein Zentrum eindringt. Er ist scharf wie ein Schwert, er wirkt wie ein Schlag auf den Kopf.

Statt den Mönch mit dem Zen-Stock zu schlagen, rief Ummon *„Kwatz!"*

Halte die Argumente und Überlegungen des Verstandes an, die dir niemals eine Antwort auf deine Frage geben werden, und *sei* einfach…

Doch offenbar hatte der Mönch noch immer nicht verstanden. Deshalb sagte Ummon: *„Du Plünderer der Leere!"*

UND WAS IST,
WENN DAS WORT GESAGT IST,
DAS ALLES AUSDRÜCKT?

Ein anderes Mal wurde Ummon gefragt:
„Und was ist, wenn das Wort gesagt ist,
das alles ausdrückt?"
Ummon sagte: „Herrunterreißen, Aufbrechen."

ALLES, WAS *DU* nicht bist, wird wegfallen. Deine Persönlichkeit, die dir von außen aufgedrängt wurde, wird verschwinden. Seit unserer Geburt haben wir viele Verhaltensweisen angenommen. Sie umgeben unseren Kern wie die Schalen einer Zwiebel. Wenn du eine Zwiebel schälst, findest du viele Schichten, bis du auf den Kern, das Zentrum der Zwiebel stößt. Genauso ist unsere Persönlichkeit aufgebaut – Schichten um Schichten aus Konditionierungen, die sich wie harte Schalen um dich herum gelegt haben. Sie sind aber nicht dein essentielles Wesen. Deine Essenz liegt unter dieser Schale verborgen, und

Werfe Ballast ab

durch Meditation kannst du diese Last von dir abwerfen und dein innerstes Heiligtum entdecken.

„Herrunterreißen, Aufbrechen."

Es wird alle deine alten Glaubenssätze erschüttern. Deine Vorstellung darüber, wer du bist, und alles, was du bisher geglaubt hast.

Alles Alte wird ausgelöscht sein. Deine Augen werden frisch und klar sein, so als ob du alles zum ersten Mal siehst. Nur dein unveränderlicher innerer Kern wird da sein, stille Bewußtheit, Frieden, Einssein mit der Existenz.

Dies ist deine Buddha-Natur. Sie war schon immer da, aber sie war von so vielen Lagen Staub bedeckt, daß du sie nicht mehr sehen konntest.

Meditation hilft dir dabei, den Staub wegzuwischen, der sich angesammelt hat, bis der Spiegel wieder in seinem wahren Glanz erstrahlt. Laß dich ein auf die Reise nach innen, trenne dich von allem Alten, gönne dir einen richtigen inneren Frühjahrsputz. Je tiefer du in dich hineingehst, desto besser wirst du dich kennenlernen. Wenn alle alten Geister vertrieben sind, bleibt stille Glückseligkeit übrig. Fasse Mut und riskiere, daß du in der Meditation alle Vorstellungen darüber verlierst, wer du bist. Am Ende wird dein wahres Selbst in seiner ganzen Schönheit erstrahlen.

WIE LAUTET
DAS WORT DER ALTEN?

Ein Mönch fragte Jōshū:
„Wie lautet das Wort der Alten?“
Jōshū sagte:
„Höre gut zu! Höre gut zu!“

WORTE SIND TEIL des Verstandes. Am Anfang war Stille – es gab keine Worte, nur ein Meer von Stille. Worte gibt es nur, weil es den menschlichen Verstand gibt, kein anderes Lebewesen benutzt Worte. In der stillen Verbindung mit der Existenz sind Worte jedoch ein Hindernis. Das Universum ist so riesig, daß es sich nicht in kleine Wörter fassen läßt.

Um zu deinem Ursprung zurückzukehren, mußt du deine Sinne gegenüber der Außenwelt verschließen und mußt anfangen, nach innen zu schauen, nach innen zu hören. Am Anfang bist du vielleicht erstaunt über den unablässigen Strom von

Gedanken sind kleine Wellen im See

Gedanken – einer jagt dem anderen nach, wie Autos im Straßenverkehr.

Doch mit der Zeit, während du das beobachtest und auf die Lücken zwischen den Gedanken achtest, wird sich der Verkehr allmählich immer mehr beruhigen, und dann wirst du einen Geschmack von der wortlosen Stille bekommen, einer Stille, die seit Ewigkeiten da ist und so lange auf dich gewartet hat.

In dieser Stille bist du eins mit allem, es gibt keine Grenzen mehr, keine Unterscheidungen, nur noch Bewußtsein, das sich ausdehnt.

Osho sagt dazu:
Höre gut zu, in dieser Stille.
Sie ist wirkliches Experimentieren,
keine Predigt oder Lehre.
Höre gut zu.
Du wirst kein Wort in ihr finden,
sondern wortlose Stille,
die dich mit riesiger Freude überflutet.
Jōshūs Antwort ist eine großartige Anwort:
Höre gut zu!
Sei still
und die gesamte Existenz öffnet dir ihre Türen.

VON DER GEBURT BIS ZUM TOD
IST ES SO WIE DIES – DEN KOPF DREHEN,
DAS GEHIRN DREHEN.

Goei ging zu Sekitō und sagte:
„Wenn du mir ein Wort sagen kannst, bleibe ich hier; sonst gehe ich weg."
Sekitō saß einfach nur da, und Goei ging.
Da rief Sekitō ihm nach: „Jari! Jari!"
Goei drehte seinen Kopf.
Sekitō sagte: „Von der Geburt bis zum Tod ist es so wie dies – den Kopf drehen, das Gehirn drehen. Was sagst du dazu?"
Goei war plötzlich erleuchtet und zerbrach den Stab.

SEKITŌ HATTE IHM eine Antwort gegeben, aber Goei hat Sekitōs Sprache nicht verstanden. Er wartete auf ein Wort, einen Satz, eine Erklärung. Sekitōs Antwort war sehr viel subtiler, die Antwort kam aus seinem innersten Wesen. Wenn du einem Meister begegnest, brauchst du die Fähigkeit, Dinge wahrnehmen und aufnehmen zu können, du brauchst Offenheit und Weichheit, damit sich etwas zwischen zwei Wesen ereignen kann.

Erst wenn sich alle kleinen Wellen auf dem See geglättet haben, kann sich der Mond in ihm spiegeln. Nur in der Stille kannst du der Existenz begegnen...

Da rief Sekitō ihm nach: „Jari! Jari!“

Wo gehst du hin? Alles ist *hier.* Es war schon immer hier, aber du warst zu sehr damit beschäftigt, es irgendwo anders zu suchen. Halte einen Augen-blick inne, und sieh, was du tust. In diesem Innehalten offenbart sich dir alles.

„Goei drehte seinen Kopf. Sekitō sagte: „Von der Geburt bis zum Tod ist es so wie dies – den Kopf drehen, das Gehirn drehen. Was sagst du dazu?“

Dein ganzes Leben hast du außen, außerhalb deiner selbst gesucht. Jetzt ist die Zeit, nach innen zu gehen. In dem Moment, da du deine Aufmerksamkeit nach innen richtest, erkennst du, daß es schon immer auf dich gewartet hat. Sonst ist es so, als ob du im Garten nach etwas suchst, das du im Haus verloren hast, und hoffst, es draußen zu finden.

„Von der Geburt bis zum Tod ist es so wie dies –
den Kopf drehen, das Gehirn drehen.“

Geh nach Innen, entspanne dich in deinem Sein und alles Suchen wird ein Ende haben. Auf einmal spürst du, wie dein Herzschlag in harmonischem Gleichklang mit dem Herzschlag des Universums schwingt.

Goei war plötzlich erleuchtet und zerbrach den Stab.

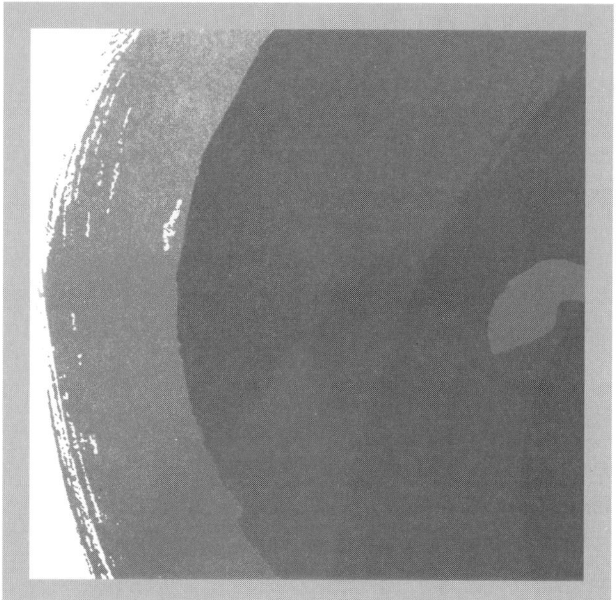

WAS IST DAS EWIGE UND
GRUNDLEGENDE PRINZIP DER DINGE?

Zuigan fragte Gantō:
„Was ist das Ewige und grundlegende Prinzip der Dinge?“
Gantō antwortete „Bewegung.“
Zuigan fragte: „Was ist diese Bewegung?“
Gantō sagte: „Wenn du siehst, wie die Dinge sich bewegen, kannst du dann nicht dieses Ewige und grundlegende Prinzip der Dinge erkennen?“ Zuigan war in Gedanken versunken, und Gantō sagte: „Wenn du dem zustimmst, bist du noch immer im Staub dieser Welt gefangen; wenn du widersprichst, wirst du immer dem Leben und dem Tod verfallen sein.“

ANDERS AUSGEDRÜCKT: *In der Existenz gibt es keinen Stillstand.* Alles ist in ständiger Bewegung, permanenter Veränderung: Bäume, Flüsse, das Leben – nichts bleibt jemals an einem Punkt stehen. Die Essenz ist Dynamik: Das Dharma der Dinge liegt in der Interaktion von allem mit jedem. Der Stein wird von der Erde gehalten, der Wind streicht über seine Oberfläche, der Regen fällt auf ihn nieder, nachts leuchten die Sterne und strahlen ihn an …

Das Leben drückt sich nur in Bewegung aus. In seinem innersten Kern ist es still, bewegt es sich nicht, doch durch Bewegung, durch Veränderung drückt es sich aus. Wenn die Bewegung aufhört, hört das Leben auf.

Zuigan war in Gedanken versunken,
und Gantō sagte: „Wenn du dem zustimmst,
bist du noch immer im Staub dieser Welt gefangen.“

Zustimmung gehört in die Welt des Verstands, in der man Argumenten entweder zustimmt oder widerspricht. Wenn du jedoch deine wahre Natur erkannt hast, dann weißt du, dann bist du Wissen, ein Wissen, das Veränderung und Bewegung integriert und nicht in der Statik von logischen Argumenten verharrt.

„Wenn du widersprichst,
wirst du immer dem Leben und dem Tod verfallen sein.“

Solange du noch im Zustand der Dualität bist, bleibst du in der Welt von Leben und Tod. Wenn du die Dualität hinter dir gelassen hast, bist du in deiner Mitte, in deinem Wesen angekommen. Dann hast du eine Bewußtheit erlangt, die keine Wahl mehr treffen muß, sondern alles annehmen kann, was kommt.

WAS WAR ES, DAS DIE ALTEN LETZTLICH ERLANGTEN, SO DASS ALL IHR MÜHEN EIN ENDE FAND?

Ein Mönch fragte Ryūge:
„Was war es, das die Alten letztlich erlangten,
so daß all ihr Mühen ein Ende fand?"
Ryūge antwortete: „Es war wie ein Räuber,
der in ein unbewohntes Haus eindringt."

DER MÖNCH WILL wissen, was es denn nun ist, das die Alten letztlich erlangten, was haben sie erreicht? Er ist schließlich auf demselben Weg, nicht ganz soweit zwar, aber er folgt doch denselben Spuren. Also ist er neugierig und will wissen, wo genau sie denn nun angekommen sind.

Ryūge sagte:

„Es war wie ein Räuber,
der in ein unbewohntes Haus eindringt."

Was für eine schöne Antwort. Kannst du dir das Gesicht des Räubers vorstellen, als er merkt, daß das Haus leer ist, unbewohnt? Stell dir mal vor, wieviel Zeit und

Springe ins Nichts

Mühe es ihn gekostet hat, das Haus auszusuchen, es von außen erst zu inspizieren, dann in der Nacht einzubrechen, auf Zehenspitzen durch den Garten zu schleichen, ein Fenster einzuschlagen – immer mit der Angst, erwischt zu werden. Endlich ist er drin, und dann merkt er, daß es unbewohnt ist, leer...

Bestimmt hat er gelacht! Alle Mühe war völlig umsonst! In der Meditation bist du wie dieser Räuber. Wenn du nach innen gehst, bist du auf der Suche nach jemandem, nach etwas. Du gehst tiefer und tiefer, und schließlich, wenn du angekommen bist, siehst du plötzlich, daß keiner da ist!

Deshalb haben so viele Sucher gelacht, als sie angekommen waren, als sie erleuchtet wurden. Sie haben darüber gelacht, daß sie etwas gesucht hatten, das schon immer da war und nur darauf gewartet hatte, wiederentdeckt zu werden.

WIE KLINGT ES,
WENN NUR EINE HAND KLATSCHT?

Hakuin sagt:
„Wie klingt es, wenn nur eine Hand klatscht?
Wenn jetzt jemand beide Hände zusammenschlägt, so entsteht im Augenblick des Zusammenschlagens ein scharfer Laut.
Wenn jemand nur eine Hand hebt, so ist da weder Laut noch Duft. Ist dies jener hohle Himmel, von dem Meister Kung spricht?
Oder ist es die große Angelegenheit, von der Yamamba sagt: Das Echo des weiten Tals übermittelt Nachrichten des geräuschlosen Lautes?"

DIES IST EINES der Koans, die ein Meister seinen Schülern gibt. Wenn der Schüler zum Meister geht, fragt ihn der Meister *„Wie klingt es, wenn nur eine Hand klatscht?"*

Der Schüler geht hinaus und fängt an, über die Frage nachzudenken, zu grübeln,

Der Klang deiner Seele

was wohl damit gemeint sein könnte – wie es klingt, wenn nur eine Hand klatscht. Es kommen ihm viele Antworten in den Sinn, und jedesmal rennt er zurück zum Meister und sagt: Es ist der Wind in den Bäumen oder der Vogel, der morgens singt. Und der Meister schickt ihn zurück: „Geh zurück, meditiere mehr. Geh tiefer."

Es ist ein Paradoxon, weil man unter „klatschen" versteht, daß der Laut von zwei Händen erzeugt wird. Und nun eine Hand, die klatscht? Der Schüler denkt weiter darüber nach und versucht, schlaue Lösungen dafür zu finden. Solange er darüber nachdenkt und seinen Verstand benutzt, um das Problem zu lösen, wird es ihm nicht gelingen, die Antwort zu finden. Sie kann nur gefunden werden, wenn das Denken aufhört.

Der Verstand existiert in Dualität, also kann er nur den Ton von *zwei* Händen wahrnehmen. Es ist der Klang eines Zusammenpralls, eines Lautes, der vom Menschen erzeugt wird. Damit beim Zusammenprall ein Laut entstehen kann, sind *zwei* Dinge nötig. Es ist unmöglich, das Koan innerhalb der Grenzen des Verstandes zu lösen. Der Weg, das Koan aufzulösen, besteht darin, den Sprung vom Verstand zum Nicht-Verstand zu machen, von der Dualität zur Nicht-Dualität.

Wenn der Gedankenstrom angehalten wird, kehrt Stille ein. Das ist der Klang, der in die Existenz eindringt. Er muß nicht vom Menschen erzeugt werden. Auf einmal kann man diesen lautlosen Laut vernehmen und weiß, wie es klingt, wenn nur eine Hand klatscht.

WAS BEDEUTET ES,
DASS BODHIDHARMA
AUS DEM WESTEN KAM?

Shōei – Suibis Schüler – fragte Suibi:
„Was bedeutet es, daß Bodhidharma aus dem Westen kam?“
Suibi sagte: „Ich sage es dir später, wenn keiner mehr da ist.“
Einige Zeit später sagte Shōei: „Nun ist keiner mehr da. Bitte, Meister, sag mir die Antwort.“
Suibi stand von seinem Zen-Stuhl auf und führte Shōei in den Bambusgarten.
Wieder sagte Shōei: „Nun ist keiner mehr da. Bitte, Meister, sag mir die Antwort.“
Suibi deutete auf die Bambusstämme und sagte: „Dieser Bambus ist so lang, dieser Bambus ist so lang.“

SEIT BODHIDHARMA INDIEN verlassen hatte und nach China ging, wurde diese Frage seit vielen Jahrhunderten von Schülern gestellt. Sie ist eine der traditionellen Fragen, die gestellt wurden, und jeder Meister hat sie auf seine eigene Art und Weise beantwortet.

Suibi sagte: „Ich sage es dir später, wenn keiner mehr da ist."

Suibi hat die Antwort bereits gegeben. Ich sage es dir später, wenn *keiner* mehr da ist, wenn es nur noch stilles Zusammensein gibt. Jetzt gerade ist dein Verstand voller Gedanken und Vorstellungen. Wenn du die Stille geworden bist, den Zustand von Nicht-Verstand erlangt hast, wirst du die Antwort wissen. Aber Shōei hat Suibi nicht verstanden, die Antwort war zu subtil.

Einige Zeit später sagte Shōei: „Nun ist keiner mehr da. Bitte, Meister, sag mir die Antwort."

Er wartet immer noch auf eine Antwort, die seinen Verstand befriedigen könnte, auf Worte. Er sucht Wissen, Kenntnisse, nicht die Erfahrung.

Suibi stand von seinem Zen-Stuhl auf und führte Shōei in den Bambusgarten.
Wieder sagte Shōei: „Nun ist keiner mehr da. Bitte, Meister, sag mir die Antwort."
Suibi deutete auf die Bambusstämme und sagte: „Dieser Bambus ist so lang, dieser Bambus ist so lang."

Schau dir die Bambusstämme an, sie stehen still und ruhig da. Sie vergleichen einander nicht – welcher ist lang oder kurz, keine Gedanken über komplizierte Fragen, sie genießen einfach nur die warme Sommernacht, die Sterne, den sanften Windhauch in stillem Einklang mit der Existenz.

Werde wie der Bambus, eine Leere, eine stille Weite, und du wirst die Antwort wissen. Alles, was du dazu brauchst, ist ein Sprung vom Verstand zum Nicht-Verstand, zum puren Sein.

WAS IST DER BUDDHA?

Ein Mönch fragte Kisu: „Was ist der Buddha?"
„Wenn ich es dir sage", sagte Kisu,
„wirst du mir glauben?"
Der Mönch antwortete:
„Die Worte des Meisters sind so bedeutsam,
wie könnte ich ihnen nicht glauben?"
Kisu sagte: „Ganz einfach, du bist es."
Der Mönch fragte: „Wie können wir diesen
Zustand bewahren?"
Kisu sagte: „Wenn dein Auge auch nur ein
bißchen verschleiert ist,
wuchern blumige Illusionen."
Da wurde der Mönch erleuchtet.

DU HAST DEINE Erleuchtung nur vergessen. Buddhas letzte Worte waren „Sammasati" – erinnere dich, daß du ein Buddha bist. Aber du klammerst dich an die Vorstellung, daß du kein Buddha bist, daß du nicht erleuchtet bist. „Ich und erleuchtet! Nur Heilige werden erleuchtet.“ Die Denkweise im Westen ist geprägt von dem Glaubenssatz, daß nur sehr ‘heilige’ Menschen in den Himmel kommen. Und es ist eigentlich egal, was du machst, es ist sowieso nie gut genug und du bist sowieso nie heilig genug, um ins Paradies einzugehen.

Im Zen sieht man die Sache anders. Da heißt es: „Du bist erleuchtet. Du hast es bloß vergessen. Es gibt nichts zu erreichen, weil es schon immer da war. Du wirst es finden, wenn du nach innen gehst.“

Aber dazu ist großes Vertrauen nötig.

Als der Mönch den Meister fragte „Was ist der Buddha?“, antwortete Kisu: *„Wenn ich es dir sage, wirst du mir glauben?“* Ist dein Vertrauen groß genug, zu glauben, daß in deinem Inneren der Buddha wartet?
Kisu sagte: „Ganz einfach, du bist es.“

Er war schon immer da, du hast dieses und andere Leben lang *außen* gesucht und hättest doch nur einen Schritt nach innen machen müssen: einen Schritt hin zu deiner wahren Natur.

Der Mönch fragte: „Wie können wir diesen Zustand bewahren?“
Kisu sagte: „Wenn dein Auge auch nur ein bißchen verschleiert ist, wuchern blumige Illusionen.“
Da wurde der Mönch erleuchtet.

So tief war das Vertrauen des Mönchs. Wenn der Meister es sagt, dann muß es so sein. Und er riskierte es, er machte den Schritt und verschmolz mit der Existenz – und wurde selbst zum Buddha.

WER BIST DU?

Einmal kam ein Mönch zu Yakusan und bat ihn um eine Unterweisung.
„Wer bist du?" fragte ihn Yakusan.
„Jōtan", sagte der Mönch.
Yakusan schrie: „Letztes Mal war es Jōtan, und dieses Mal ist es wieder Jōtan!"

DER MÖNCH WAR ein Schüler von Yakusan. Er lebte wahrscheinlich im Kloster, und es gab irgendeine Frage oder ein Problem. Also ging der Mönch zu Yakusan und wollte ihn um Rat fragen.

„Wer bist du?" fragte ihn Yakusan

Vorsicht! Der Meister fragt „Wer bist *du*?" Hast du dein Wesen erforscht, bist du auf der Suche? Sage es mir, schnell, hast du dort irgend jemanden gefunden?

„Jōtan", sagte der Mönch.

Yakusan schrie: „Letztes Mal war es Jōtan, und dieses Mal ist es wieder Jōtan!"

Etwas mehr Bewußtheit

Er meint, was hast du in der Zwischenzeit gemacht? Letztes Mal war es Jōtan und dieses Mal wieder – bist du nicht tiefer in dein Inneres vorgedrungen? Kannst du nur deinen Namen wiederholen?

Yakusan kennt den Mönch, der bei ihm im Kloster lebt, und natürlich kennt er seinen Namen.

Er ist aber nicht daran interessiert, daß der Mönch nur seinen Namen wiederholt.

Der Name gehört zum Äußeren, er wurde dir von anderen gegeben und hat nichts mit deiner inneren Wirklichkeit zu tun. Du wurdest namenlos geboren, und du wirst namenlos sterben.

Yakusan fragt, hast du herausgefunden, wer dieser Jōtan ist?

Aber Jōtan wußte nicht, was er sonst sagen sollte, und wiederholte einfach seinen Namen.

Yakusan schrie: „Letztes Mal war es Jōtan,
und dieses Mal ist es wieder Jōtan!“

Yakusans Schrei ließ wahrscheinlich im Gedankenablauf des Mönchs eine Lücke entstehen. Sei hier, sei in der Gegenwart. Sei spontan und halte nicht an alten Konzepten fest.

Sei kein Roboter, lebe jeden Tag neu. Lebe intensiv, von Augenblick zu Augenblick.

WAS IST DER WAHRE KÖRPER
DES DHARMAKAYA BUDDHAS?

Einmal fragte ein Mönch Kokushi:
„Was ist der wahre Körper des Dharmakaya Buddhas?"
„Bring mir die Wasserflasche", antwortete Kokushi.
Als der Mönch sie ihm brachte, sagte Kokushi:
„Stell sie wieder dort hin, wo sie war."
Nachdem der Mönch getan hatte, was ihm gesagt wurde, wiederholte er sein Frage.
Kokushi sagte: „Ach! Der alte Buddha ist längst gegangen."

IM SANSKRIT BEDEUTET *dharma* Religiosität, und *kaya* ist die Bezeichnung für Körper. Er meint mit seiner Frage: Was ist wahre Religiosität?

„Bring mir die Wasserflasche", antwortete Kokushi. Als der Mönch sie ihm brachte, sagte Kokushi: „Stell sie wieder dort hin, wo sie war." Nachdem der Mönch getan hatte, was ihm

gesagt wurde, wiederholte er sein Frage. Kokushi sagte: „Ach! Der alte Buddha ist längst gegangen."

Was war passiert? Im Zen stellt der Meister eine Situation für den Schüler her, damit der Schüler über seine herkömmlichen Auffassungen hinaus gehen kann.

Ein Meister beantwortet keine Fragen über den Intellekt. Er ist kein Lehrer, der daran interessiert ist, Wissen weiterzugeben. Statt dessen nutzt er jede Gelegenheit, dem Schüler dabei zu helfen, etwas zu erfahren, das sich mit Worten nicht ausdrücken läßt.

In dieser Geschichte fragt der Schüler: Was ist wahre Religiosität? Was ist meine wahre Natur, wer bin ich? Der Meister antwortet mit einer Bitte, der Schüler solle ihm die Wasserflasche bringen. Als der Schüler sie bringt, sagt er ihm, er solle sie an ihren Platz zurückstellen.

Kokushi versucht, dem Sucher zu vermitteln, daß die Antwort auf diese Frage – zu allen wirklichen Fragen – im eigenen Innern liegt. Kehre zurück zur ursprünglichen Quelle, dorthin, wo es dich schon immer gegeben hat.

Nur wenn du nach innen gehst, wird sich dir das Mysterium, das wir Leben nennen, offenbaren.

Doch der Mönch hatte es nicht bemerkt. Er verstand die Feinheit von Kokushis Antwort nicht. Er wartete auf eine Erklärung mit Worten.

Deshalb sagte Kokushi: *„Ach! Der alte Buddha ist längst gegangen."*

Vielleicht hätte er dem Mönch die Frage beantworten können – die Antwort wird jedoch immer ohne Worte sein. In der Meditation wirst du so still, so ruhig, daß du eines Tages die Antwort vernehmen wirst.

WAS IST DAS BESONDERE
AN DEINER LEHRE?

Ein Mönch fragte einmal den Meister Nan-yin:
„Was ist das Besondere an deiner Lehre?“
Nan-yin antwortete:
„Im Herbst ernten wir; im Winter lagern wir ein.“
Ein andere Mönch fragte Nan-yin:
„Was ist der Weg?“
Nan-yin antwortete: „Ein Drachen fliegt über den weiten Himmel; nichts bleibt dort zurück.“

NAN-YIN MEINT „LEBE natürlich, in Harmonie mit der Existenz. Lebe mit der Natur. Sei offen, spontan und entspannt.“

„Im Herbst ernten wir; im Winter lagern wir ein.“

Da ist eine große Einfachheit, mit dem Leben gehen, und einen Schritt nach dem anderen machen. Keine Eile, keine Hektik. Alles ist sehr gewöhnlich und einfach.

Die Existenz kennt keinen Stillstand

Das gleiche trifft auf die innere Welt zu, immer nur einen Schritt nach dem anderen machen und tiefer und tiefer nach innen gehen. Ohne Eile. Die Wanderschaft selbst ist das Ziel. Und plötzlich wirst du erkennen, daß du immer schon hier warst, daß alles, was du in der Ferne gesucht hast, immer schon auf dich gewartet hat, ganz nah! *Hier.* Und dann die Erkenntnis:

„Im Herbst ernten wir; im Winter lagern wir ein."
Ein andere Mönch fragte Nan-yin:
„Was ist der Weg?"
Nan-yin antwortete:
„Ein Drachen fliegt über den weiten Himmel; nichts bleibt dort zurück."

Du hast dich im Ozean aufgelöst. Der Ozean hat sich im Tautropfen aufgelöst.

Nan-yin antwortete:
„Ein Drachen fliegt über den weiten Himmel; nichts bleibt dort zurück."

Nichts bleibt übrig, das dieses *Sein* stören könnte. Alles ist in *dieses* eingegangen.

So wie der Drachen keine Spuren im blauen Himmel hinterläßt, ist dein innerer Himmel wolkenlos und rein.

Ein Bewußtsein, das sich weit und endlos ausdehnt. Du bist ein niemand geworden und *bist* zum ersten Mal.

Aber bleibe hier nicht stehen, mache weiter, tiefer und tiefer, finde jeden Tag neue Tiefen in deinem Sein. Die Existenz kennt niemals einen Stillstand.

WARUM HAT DER BARBAR
AUS DEM WESTEN KEINEN BART?

Wakuan fragte: „Warum hat der Barbar aus dem Westen keinen Bart?“

DIES IST EIN berühmtes Koan des Zen. Erinnere dich daran, daß ein Koan nicht mit dem rationalen Verstand gelöst werden kann, es kann nur aufgelöst werden, nur in tiefer Stille kann die Antwort erfahren werden. Wenn du versuchst, deinen Verstand zu benutzen, um dir eine Antwort auszudenken, wird das nicht funktionieren.

Du mußt die Stille suchen.

Wenn die Gedanken sich gelegt haben, ist Stille da. Und in dieser Stille liegt die Antwort.

„Warum hat der Barbar aus dem Westen keinen Bart?“

Mit dem Barbaren ist höchstwahrscheinlich Bodhidharma gemeint. Im alten China wurden alle Nicht-Chinesen als Barbaren bezeichnet. Aber es gibt viele Bilder von Bodhidharma, in denen er immer mit einem buschigen Bart abgebildet ist. Weshalb also die Frage: Hat Bodhidharma nun einen Bart oder nicht?

Wakuan lenkt die Aufmerksamkeit auf Bodhidharmas Wesen, auf seine Essenz, sein strahlendes Selbst. Natürlich hat er, in der Welt der Fakten, einen Bart. Aber sein essentielles Wesen hat keinen Bart, es hat auch keine Arme oder Beine. Die wahre Natur eines Menschen ist formlos, farblos, sie ist in seinem Innersten verborgen. Hast du jemals in dein Innerstes geschaut? Wenn du die Augen schließt, erkennst du dann einen Bart, eine Haarfarbe, eine Nase? Versuch es doch einmal. Nichts von all dem, was einen Menschen in der äußeren Welt ausmacht, ist da, und dennoch gibt es etwas.

Dieses Sein ist unveränderlich, es ist seit Ewigkeiten da. Dieses Sein ist dein wahres Wesen. Wenn du nach innen gehst, kannst du es entdecken. Wenn alle Gedanken verstummen und der Kopf ganz leer wird, dann ist es da.

Dann bist *du* nicht mehr, und in diesem *Nicht-Sein*, in diesem Augenblick, bist du an der Quelle des Universums.

WOHIN GEHST DU?

Dōgen Zenji stieg auf seinen Stuhl und sagte: „Zen-Meister Hōgen studierte mit Keishin Zenji. Einmal fragte ihn Keishin Zenji:
„Joza, wohin gehst du?“
Hōgen sagte: „Ich pilgere ziellos umher.“
Keishin sagte: „Was ist das Anliegen deiner Pilgerschaft?“
Hōgen sagte: „Ich weiß nicht.“
Keishin sagte: „Nicht wissen ist das Innerste.“
Da erlangte Hōgen die Erleuchtung.

DAS ZEN BENUTZT auch unbedeutende Anlässe, um auf das Wortlose, auf das Innere hinzudeuten. Laß dich also nicht in die Irre führen, wenn Keishin Zenji Hōgen fragt 'Wohin gehst du?' Er meint damit kein äußeres Ziel, keinen Ort, an den man gehen könnte. Er fragt nach etwas anderem, nach etwas Tieferem. Bist du an dem Ort angekommen, an dem sich deine wahre

Natur verbirgt? Bist du an der Quelle deines Lebens angekommen? Hast du dich selbst erkannt?

Hōgen sagte: „Ich pilgere ziellos umher."

Was für eine schöne Antwort. Er sagt, ich pilgere ohne Ehrgeiz, ohne Ziel, will nichts erreichen. Ich habe aufgehört, zu bestimmen, und gehe dahin, wo der Wind mich trägt. Ich bin nur noch Beobachter. Ich pilgere ziellos umher, und die Reise selbst ist das Ziel.

Keishin sagte: „Was ist das Anliegen deiner Pilgerschaft?" Der Meister dringt daraufhin tiefer in ihn ein. Ist es Hogens eigene Erfahrung, oder wiederholt er lediglich etwas aus den Schriften, die er gelesen hat?

Keishin sagte: „Was ist das Anliegen deiner Pilgerschaft?" Hōgen sagte: „Ich weiß nicht." So einfach ist es. *„Ich weiß nicht."* Er hat das Wissen hinter sich gelassen. Er nimmt das Leben Schritt für Schritt, lebt von Augenblick zu Augenblick. Wohin auch immer es ihn führt, er akzeptiert es.

Der Meister bestätigt das: *„Nicht wissen ist das Innerste."* Wenn selbst das *Ich* verschwunden ist, wenn der Wissende zum Wissen geworden ist, dann wird alles Eins. Deshalb sagte er: *„Nicht wissen ist das Innerste." Da erlangte Hōgen die Erleuchtung.*

Er hatte sofort verstanden. Er muß kurz vor der Erleuchtung gewesen sein. Nur dieser kleine Schritt war noch nötig.

WENN KEIN GEDANKE AUFKOMMT,
KANN DANN IRGEND ETWAS
FALSCH SEIN?

Ein Mönch fragte Ummon:
„Wenn kein Gedanke aufkommt,
kann dann irgend etwas falsch sein?"
Ummon antwortete: „Berg Sumeru!"

WENN MAN UMMONS Antwort verstehen will, muß man die Geschichte vom Berg Sumeru kennen. Der Berg Sumeru ist ein Symbol aus der indischen Kosmologie. Er steht in der Mitte des Universums und ist von einem duftenden Ozean umgeben. Auf dem Berg Sumeru gibt es drei Welten – die Welt der Wünsche, die Welt der Form und die Welt der Formlosigkeit.

Der Mönch fragt: *„Wenn kein Gedanke aufkommt, kann dann irgend etwas falsch sein?"* Seine Frage kommt aus dem Verstand, der in dialektischen Denkmustern wie 'richtig' oder 'falsch' gefangen ist. Er ist sich nicht darüber im klaren, was er fragt. Die Frage entspringt seiner Neugierde, nicht etwa seiner Erfahrung.

Wenn kein Gedanke da ist, ist Leere, Stille.

In dieser Leere gibt es kein gut und kein schlecht, kein richtig und kein falsch.

Im Inneren zählt allein die Erfahrung.

In der äußeren Welt mag es wichtig sein, Wissen anzusammeln, Schriften zu lesen. Doch um zu deinem innersten Kern vorzudringen, mußt du nach innen gehen und erforschen, wer sich in deiner Mitte, deinem Zentrum verbirgt. Keiner kann dir diese Antwort geben. Du kannst Hinweise, Fingerzeige annehmen, aber herausfinden mußt du es selbst.

Deshalb antwortete Ummon: „*Berg Sumeru!*"

Dringe zum Zentrum deines Wesens vor, und du wirst im Zentrum des Universums ankommen. Plötzlich wirst du erfahren, wer du bist, und durch dieses Wissen löst sich dein Getrenntsein vom Universum auf. Was bleibt, ist dieses Wissen. Dann ist das kleine Selbst im Kosmos aufgegangen, in eine sich ausdehnende Weite voller Licht. Nichts bleibt übrig außer *diesem*.

WAS IST DAS
MYSTERIUM DER MYSTERIEN?

Einmal fragte ein Mönch Tōzan:
„Was ist das Mysterium der Mysterien?"
Tōzan sagte: „Es ist wie die Zunge eines Toten."

ÜBER DIESES MYSTERIUM kann nichts gesagt werden, es kann nicht durch Worte vermittelt werden. Man kann es nur leben, fühlen, erfahren.

„Es ist wie die Zunge eines Toten."

Nur in Stille kann man es fühlen, in tiefem Gleichklang mit der Existenz, wenn alle Spannungen weggefallen sind. In einer tiefen Ruhe, in gelassenem Reflektieren wirst du erfahren, was Worte nicht beschreiben können.

Ist dir schon einmal aufgefallen, wie sehr wir dazu neigen, allem ein Etikett aufzudrücken? Wie schnell wir Worte parat haben, in die wir einen Sonnenuntergang oder eine schöne Blume kleiden. Du siehst

Gemeinsamkeit in der Stille

eine schöne Blume, und dein Kopf sagt sofort „Oh, das ist eine schöne Blume." Nur selten ereignet es sich von alleine, daß eine Lücke zwischen deinen Gedanken entsteht, daß es ganz still wird und du in dieser Stille die Blume fühlen kannst, die Blume sein kannst, ihre wahre Natur erleben kannst, eins mit ihr sein kannst. Versuche es einmal.

Das nächste Mal, wenn du eine schöne Blume siehst, *sei* einfach nur mit ihr. Sitze mit ihr, blicke sie an, völlig unvoreingenommen. Nimm sie in dein Wesen auf, laß sie bis auf den Grund deines Seins vordringen. Sei einfach nur da.

Die Blume in heiterer Gelassenheit anschauen. Laß die Blume sich in dir spiegeln – so wie ein Spiegel alles reflektiert, was sich ihm nähert –, laß den leeren Spiegel deines Bewußtseins die Blume reflektieren.

Werde zum Spiegel.

Darum geht es in der Meditation. Keine Gedanken, die Schatten auf dein Bewußtsein werfen, keine Wellen auf dem ruhigen See dieser völligen Abwesenheit – der Abwesenheit all dessen, was du nicht bist, und der Präsenz, der Gegenwart dessen, was du bist.

WER KANN SAGEN, WAS DIES IST,
OHNE ES BEIM NAMEN ZU NENNEN?

Hyakujō mußte einen Mönch zum Abt eines neuen Klosters bestimmen, das auf dem Berg Ta-Kuei-Shan gegründet werden sollte. Er rief den Koch des Klosters zu sich und sagte ihm, er sei dazu ausgewählt worden. Der Mönchsälteste hatte die Unterhaltung zufällig mitgehört und sagte: „Keiner kann behaupten, der Koch sei besser als der Mönchsälteste." Also rief Hyakujō die Mönche zusammen und schilderte ihnen die Situation. Er sagte, daß derjenige die Position im neuen Kloster bekomme, der auf seine Frage die richtige Antwort habe. Hyakujō zeigte auf einen Wasserkrug, der auf dem Boden stand und sagte „Ohne es beim Namen zu nennen, wer kann mir sagen, was dies ist?" Der Mönchsälteste sagte: „Du kannst es nicht Holzschuh nennen." Als kein anderer mehr antwortete, wandte sich Hyakujō dem Koch zu. Der Koch trat vor, kippte den Wasserkrug mit seinem Fuß um und ging hinaus. Hyakujō lächelte und sagte: „Der Mönchsälteste hat verloren." Der Koch wurde zum

Klostervorsteher ernannt, lebte dort viele Jahre und unterwies über tausend Mönche im Zen.

Der Koch in dieser Geschichte ist der Mönch Isan, der später ein ganz großer Zen-Meister wurde. Nach seiner Erleuchtung wurde er *tenzo*, Koch und Küchenmeister in Hyakujōs Kloster. Man darf nicht vergessen, daß der Posten eines *tenzo* in einem Kloster sehr wichtig war. Es wurden nur fortgeschrittene Schüler dafür ausgesucht, die Verantwortung für die Mahlzeiten aller Mönche zu übernehmen. Der Mönchsälteste in dieser Geschichte ist Karin, der später selbst ein Meister wurde.

Shiba Zuda war ein weltlicher Schüler von Hyakujō. Er erzählte ihm, er habe eine Vision von einem Berg mit einer großen Versammlung von Mönchen gehabt. Als Hyakujō ihn fragte, ob er selbst dorthin gehen sollte, sagte Shiba, in seiner Vision sei der Berg rund gewesen. Hyakujō war jedoch von dünner Statur, und daher schien dieser Berg nicht der richtige Ort für ihn zu sein. Also bat Hyakujō ihn um seine Hilfe bei der Auswahl des richtigen Mönchs. In der Geschichte wurde dann der Mönchsälteste zuerst aufgerufen, aber Shiba lehnte ihn ab. Dann wurde Isan, der Koch, hereingerufen, und nach einem kurzen Blick auf ihn sagte Shiba, der tenzo, der Koch, sei ein guter Meister für den Berg. Isan bekam den Auftrag, das Kloster zu gründen. Als der Mönchsälteste, Karin, davon hörte, protestierte er gegen diese Entscheidung. Natürlich denkt der Mönchsälteste, daß er wichtiger sei als der Koch.

Abends berief Hyakujō die Mönchsversammlung ein, stellte einen Krug Wasser vor sie hin und sagte: „Ohne es beim Namen zu nennen, wer kann mir sagen, was dies ist?“ Der Mönchsälteste sagte: „Du kannst es nicht Holzschuh nennen.“ Als kein anderer mehr antwortete, wandte sich Hyakujō dem Koch zu. Der Koch trat vor, kippte den Wasserkrug mit seinem Fuß um und ging hinaus.

Der Mönchsälteste hatte natürlich schon eine gewisse Einsicht in die Dinge, er hatte eine gewisse Erfahrung. Aber er war noch nicht wirklich reif. Als Isan vortrat und den Krug umkippte, drückte er eine große Klarheit aus. Ohne Worte zu benutzen, sagt er, daß es in seinem Bewußtsein weder Erleuchtung noch keine Erleuchtung gibt. Keine Illusion, kein Gedanke, nur Leere. Es ist so leer wie der Wasserkrug. Er geht hinaus und sagt damit: „Laßt mich in Ruhe mit euren Philosophien und Vorstellungen. In der Küche wartet meine Arbeit auf mich.“ Er wartete nicht einmal ab, ob er ausgewählt werden würde... *Hyakujō lächelte und sagte: „Der Mönchsälteste hat verloren.“ Der Koch wurde zum Klostervorsteher ernannt, lebte dort viele Jahre und unterwies über tausend Mönche im Zen.*

Es heißt, daß Isan, nachdem er Hyakujō verlassen hatte, auf den Berg ging, dort eine Hütte baute und acht Jahre lang meditierte. Er baute kein Haus, legte kein Reisfeld an, baute kein Kloster auf. Er saß einfach nur in seiner kleinen Hütte im Wald und wartete. Würde sein strahlender Glanz Sucher anziehen und zu ihm bringen? Er hatte tiefes Vertrauen in die Existenz. Nach acht Jahren, so geht die Geschichte weiter, war noch keiner zu ihm gekommen, und er entschloß sich, an einen anderen Ort zu gehen und es dort zu versuchen. Gerade als er gehen wollte, kam ein großer Tiger, packte ihn am Ärmel und zwang ihn zu bleiben. Einige Tage später kamen drei Mönche, die sich dann entschieden, mit ihm zu leben. Und allmählich wuchs die Zahl seiner Schüler auf über 1500.

Welch ein Vertrauen, einfach zu warten ... Ob seine Schwingung, sein Duft, sein Wesen genug strahlen und leuchten würde, um die Richtigen anzuziehen ... Nur ein Mensch, der meditiert, kann mit solchem Vertrauen, geduldig und still warten.

Kanzan schrieb:
Von Essen zu reden, macht nicht satt.
Über Kleider zu schwatzen, hält nicht die Kälte fern.
Eine Schale Reis ist es, die den Bauch füllt;
du brauchst Kleidung, um dich warm zu halten.
Und doch, obwohl du ständig darüber redest und nachdenkst,
beklagst du dich, daß der Buddha schwer zu finden ist.
Bringe deinen Verstand nach Hause!
Da ist der Buddha!
Warum suchst du ihn woanders?

WAS HÄTTE DIE KATZE GERETTET?

Einmal fand Nansen zwei Gruppen von Mönchen, die sich darüber zankten, wem eine Katze gehörte. Nansen ging in die Küche und kam mit einem Hackmesser zurück. Er nahm die Katze und sagte zu den Mönchen: „Wenn einer von euch ein gutes Wort sagen kann, könnt ihr die Katze retten.“ Keiner sagte ein Wort, und Nansen hackte die Katze in zwei Stücke und gab jeder Gruppe eine Hälfte. Als Jōshu an jenem Abend zurückkam, erzählte ihm Nansen, was geschehen war. Jōshu sagte nichts. Er legte sich seine Sandalen auf den Kopf und ging hinaus. Nansen sagte: „Wärst du da gewesen, hättest du die Katze retten können.“

NANSENS KLOSTER HATTE zwei Gebäudeflügel, und die Mönche, die darin wohnten, behaupteten jeweils, daß die schöne Katze ihnen gehörte. Wahrscheinlich kam die Katze immer auf beiden Seiten zu Besuch. Aber anstatt sich an der Katze zu freuen, wann immer sie gerade da war, wollten die Mönche beider Seiten, daß sie nur ihnen gehören sollte. Mönche, die all ihre Besitztümer hinter sich gelassen hatten und auf der Suche nach sich selbst waren, stritten sich um eine Katze! Dabei war ihnen die Katze selbst völlig egal, sie empfanden nicht etwa Liebe zu ihr, sie wollten sie besitzen. Sie reduzierten sie zu einem Objekt, das man besitzen kann. Wie könnte Liebe besitzen wollen? Nansen muß den Streit der Mönche mitangehört haben und griff sich die Katze.

„Wenn einer von euch ein gutes Wort sagen kann, könnt ihr die Katze retten."

Was meint er damit 'sagt etwas, und ihr könnt die Katze retten'?

Er meint „Zeigt mir etwas von eurem Nicht-Verstand." Euer Streit um die Katze entlarvt die Dualität eures Verstandes, euer Ego. Die Katze dient nur als Ausrede, der Vorfall zeigt, wo ihr in Wirklichkeit steht.

Springt heraus aus eurem Verstand in den Nicht-Verstand, den Zustand von Nicht-Denken. Zeigt etwas von eurem meditativen Zustand, etwas, das nicht zu eurem alltäglichen Verhalten gehört. Aber die Mönche brachten nichts über ihre Lippen. Sie schwiegen, allerdings nicht in meditativer, friedlicher Stille. Es war eine Stille, die nach Worten suchte und sie nicht finden konnte.

Wenn sie in einer innerer Stille gewesen wären, hätten sie sich gar nicht erst um die Katze gestritten. Sie hätten sich einfach gefreut, wenn die Katze vorbeigekommen wäre. Aber so funktioniert unser Verstand, er versucht, festzuhalten, Dinge, Gedanken, unsere Vorstellungen von uns selbst. In der Situation mit Nansen hätte ein Wort genügt, eine Handlung, die eine Einsicht in das Zen bewies, und das Leben der Katze wäre gerettet worden.

Es gibt viele Spekulationen darüber, ob Nansen die Katze wirklich in zwei Teile gehackt hat oder nicht. Manche sagen, es sei rein symbolisch gemeint. Osho sagt „Es gibt Leute, die Nansen gerne retten würden. Ich gehöre nicht zu ihnen. Er hat die Katze wirklich in Stücke gehackt … Er weiß, daß die Seele nicht getötet werden kann. Er weiß, daß nur die Form sich verändert … Nansen veränderte die Form … Die Katze starb durch Nansens Hände. Was für eine Chance! Nansen war ein sehr stiller Mann, die Katze muß seine Stille gespürt, aufgenommen haben; sein Wesen war so ekstatisch – die Katze muß seine Ekstase aufgesaugt haben. Und dann hat er sie in Stücke gehackt. Die Katze hatte keine Angst, sie hat das Spiel bestimmt genossen. Es war ein chirurgischer Eingriff. In ihrem nächsten Leben wird die Katze sicher als weit höher entwickelte Seele geboren werden…“ Als Jōshū abends zurückkam, erzählte Nansen ihm die Geschichte. Jōshū nahm nur seine Schuhe, legte sie sich auf den Kopf und ging hinaus. Nansen rief ihn zurück und sagte: *„Wärst du da gewesen, hättest du die Katze retten können.“*

Was hatte Jōshū getan? Zunächst hörte er einfach zu. Er hörte still und unvoreingenommen zu. Dann handelte er aus seiner Spontaneität heraus. Er dachte nicht nach. Statt dessen legte er sich seine Schuhe auf den Kopf und zeigte damit: Selbst meine ausgetretenen Sandalen sind würdiger als mein Kopf. Welch ein Schwachsinn war geschehen! Jōshū war erleuchtet. Als er hörte, was geschehen war, zeigte er mit Hilfe der Schuhe auf seinem Kopf „Diese Geschichte ist genauso absurd wie die Sandalen auf meinem Kopf.“ Er urteilte nicht und dachte nicht darüber nach. Er handelte spontan aus seinem Nicht-Verstand heraus, aus seinem Bewußtsein. Jōshū antwortete nicht mit Worten, sondern mit spontanem Handeln. Nur in dieser Spontaneität kann Leben gerettet werden – und nicht nur das der Katze, auch dein eigenes.

Ein Haiku von Sodo:
In meiner zehn Fuß großen Bambushütte
dieser Frühling,
da ist nichts:
da ist alles.

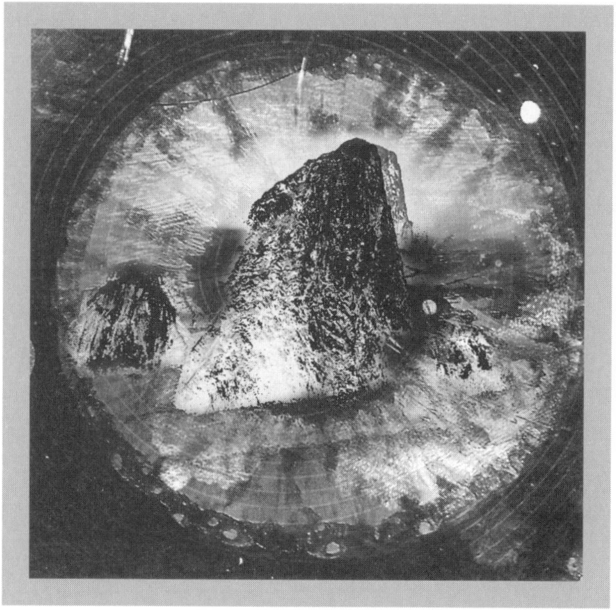

WO WARST DU?

Einmal fragte Ungan einen Mönch:
„Wo warst du?"
Der Mönch antwortete „Ich habe zu einem Fels über das Dharma gesprochen."
Ungan fragte: „Hat der Fels genickt?"
Der Mönch wußte keine Antwort, und Ungan sagte: „Er nickt bevor du sprichst."

DER VERSTAND HAT nur Worte, nur die Sprache zur Verfügung, um *über* etwas zu sprechen. In der Leere des Herzens schwingt eine Stille, die am Tanz, an der Freude des Universums teilnimmt. In dieser Stille entsteht eine Nähe und Intimität, wie wenn zwei Liebende sich in einer klaren Mondnacht an den Händen halten und den Mond betrachten.

In dieser Stille wird etwas geteilt, das jenseits von Worten ist, beide erfahren es, aber es kann nicht in Worte gekleidet werden. Worte reichen nie an eine Erfahrung heran. Im Zen geht es ausschließlich darum, Erfahrungen zu machen, sich einzulassen. Deshalb ging der Mönch mit seiner Antwort fehl *„Ich habe zu einem Fels über das Dharma gesprochen."*

Für ihn waren immer noch die Worte wichtig: darüber zu sprechen, es als Thema abzuhandeln. Er war noch nicht so weit, eine Erfahrung zu teilen und subjektiv zu sein.

Das nächste Mal, wenn du auf einen Fels triffst, probiere doch einmal etwas aus, ein kleines Experiment. Sitze eine Weile zusammen mit dem Fels, so wie du mit deinem Geliebten sitzen würdest, ganz still. Warte und spüre hin, was sich zwischen dir und dem Fels ereignet. Du wirst eine stille Verbindung spüren, auf einmal wirst du den Fels in seinem tiefsten Inneren verstehen und erkennen, was sein Felssein bedeutet, ohne daß auch nur ein einziges Wort gesprochen wird. Du wirst wissen, wie sich die Wärme der Sonnenstrahlen anfühlt, der Regen, der fällt, der Wind, der über dich hinwegstreicht...

Auch der Fels lernt dein innerstes Wesen kennen. Deshalb fragte Ungan: *„Hat der Fels genickt?"* Der Mönch wußte keine Antwort, und Ungan sagte: *„Er nickt bevor du sprichst."*

Wenn sich solch eine Verständigung ereignet, wenn dies verstanden wird, muß nichts gesagt werden, in dieser Stille wird alles mitgeteilt. Es wird nichts gesagt, und doch wird alles verstanden.

UND WENN DAS WASSER IM ALTEN TAL EINE KALTE QUELLE IST?

Ein Mönch fragte Seppō: „Und wenn das Wasser im alten Tal eine kalte Quelle ist?" Seppō antwortete: „Du kannst so lange hineinstarren, wie du willst, du kannst nicht auf den Grund sehen!" Der Mönch sagte: „Und wenn wir das Wasser trinken?" Seppō sagte: „Es geht nicht in den Mund hinein." Der Mönch ging zu Jōshū und erzählte, wovon die Rede war. Jōshū sagte: „Wenn es nicht in den Mund hineingeht, geht es auch nicht durch die Nasenlöcher." Da fragte der Mönch: „Und wenn das Wasser im alten Tal eine kalte Quelle ist?" Jōshū sagte: „Wie lästig es ist!" Der Mönch sagte: „Und wenn man es trinkt?" Jōshū sagte: „Du wirst sterben." Als Seppō von diesem Gespräch erfuhr, sagte er: „Jōshū ist einer der Alten Buddhas" und verbeugte sich vor Jōshū voller Achtung aus der Ferne. Danach beantwortete er keine Frage mehr selbst.

eintauchen in einen unendlichen frieden

STILLE IST UNENDLICH. Sie hat keine Peripherie, sie hat nur ein endlos sich ausdehnendes Zentrum. Wenn du in dich hineinschaust, wenn du tiefer und tiefer gehst, wirst du niemals an ein Ende finden, du wirst nie bis auf den Grund deiner innersten Quelle gelangen. *Der Mönch sagte: „Und wenn wir das Wasser trinken?" Seppō sagte: „Es geht nicht in den Mund hinein."* Die Quelle liegt in dir selbst, sie ist nicht außerhalb von dir. Und sie ist immer für dich da. Du kannst jederzeit aus ihr trinken. *Der Mönch ging zu Jōshū und erzählte, wovon die Rede war. Jōshū sagte: „Wenn es nicht in den Mund hineingeht, geht es auch nicht durch die Nasenlöcher."*

Der Mönch hatte Seppōs Antwort nicht verstanden, also ging er zu Jōshū und stellte ihm dieselbe Frage. Er dachte, daß vielleicht Jōshū seine Frage beantworten könnte. Er hatte nicht verstanden, daß man nicht außerhalb seiner selbst nach einer Antwort suchen, sondern daß man in sein eigenes Wesen hineinschauen muß.

Jōshū sagte: *„Wenn es nicht in den Mund hineingeht, geht es auch nicht durch die Nasenlöcher."*

Er sagt damit 'Seppō hat dir eine Antwort gegeben, und du hast sie nicht verstanden. Was soll ich dieser Antwort noch hinzufügen?' Doch der Mönch ließ nicht locker: *„Und wenn das Wasser im alten Tal eine kalte Quelle ist?" Jōshū sagte: „Wie lästig es ist!" Der Mönch sagte: „Und wenn man es trinkt?" Jōshū sagte: „Du wirst sterben."*

Jōshū war bewußt, daß dieser Dialog zu nichts führte, und schloß ihn ab mit dem Satz: *„Du wirst sterben."* Der Mönch war ein Gefangener seines Verstandes, er hatte sich in eine Idee verrannt. Sein Verstand ließ ihm keinen Raum – er konnte weder zuhören, noch gab es in ihm Platz, eine Antwort aufzunehmen.

GIBT ES SO ETWAS WIE
HIMMEL UND HÖLLE?

Ein Krieger kam zum Zen-Meister Hakuin und fragte: „Gibt es so etwas wie Himmel und Hölle?“ Hakuin sagte: „Wer bist du?“
Der Krieger antwortete: „Ich bin der Erste Samurai des Kaisers.“
Hakuin sagte: „Du? Ein Samurai? Mit deinem Gesicht? Du siehst eher aus wie ein Bettler.“
Da wurde der Krieger so wütend, daß er sein Schwert zog.
Hakuin stand ganz ruhig vor ihm und sagte: „Hier öffnen sich die Tore der Hölle.“
Als der Krieger die Gelassenheit des Meisters wahrnahm, steckte er das Schwert in die Scheide und verbeugte sich.
Da sagte Hakuin: „Und hier öffnen sich die Tore des Himmels.“

ES GEHT HIER nicht um das christliche Verständnis von Himmel und Hölle. Der Krieger möchte wissen, wie man in den inneren Himmel eingehen und die innere Hölle vermeiden kann.

Hakuin sagte: „Wer bist du?“

Der Krieger antwortete: „Ich bin der Erste Samurai des Kaisers.“

Vorsicht! Hakuin ist bereits am Werk. Seine Frage lautet ‘Wer bist du an deiner wahren Quelle deines Seins?’ Der Samurai hatte das nicht verstanden und antwortete stolz: *„Ich bin der Erste Samurai des Kaisers.“*

Hakuin sagte: „Du? Ein Samurai? Mit deinem Gesicht? Du siehst eher aus wie ein Bettler.“

Ein stolzer Samurai war er, kein gewöhnlicher, sondern der Erste Samurai des Kaisers – und nun wurde er so verspottet!

Da wurde der Krieger so wütend, daß er sein Schwert zog.

Er war sofort bereit, zu töten. Er hatte vergessen, weshalb er gekommen war. Sein verletztes Ego hatte die Regie übernommen, und er reagierte völlig unbewußt.

Hakuin stand ganz ruhig vor ihm und sagte: „Hier öffnen sich die Tore der Hölle.“

Als der Krieger die Gelassenheit des Meisters wahrnahm, steckte er das Schwert in die Scheide und verbeugte sich.

Der Samurai hatte verstanden. Der Meister hatte eine Situation hergestellt, die ihn verstehen ließ, wo das Tor zur Hölle zu finden war – dort, wo sein Ego, sein Stolz, sein Neid saßen... Deshalb verbeugte er sich in Dankbarkeit.

Da sagte Hakuin: „Und hier öffnen sich die Tore des Himmels.“

In dieser liebevollen Dankbarkeit, mit dieser stillen Geste öffnen sich die Tore des Himmels.

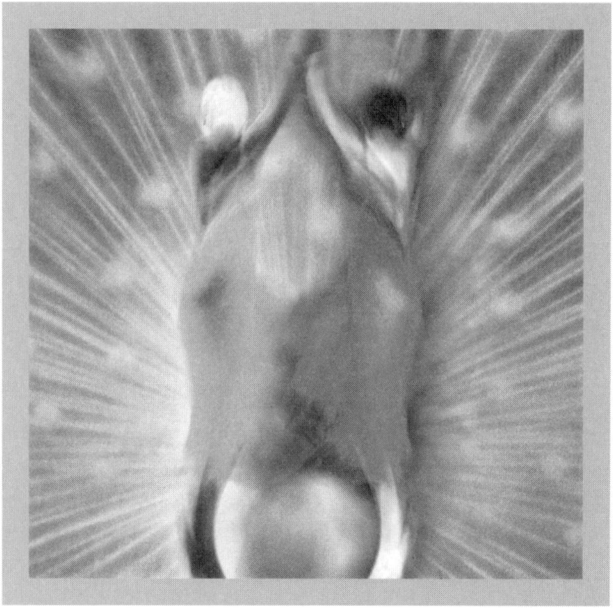

WAS IST DIES?

Als Tōyan das erste Mal zu Seppō kam, war er kaum durch das Tor getreten, als Seppō ihn umstieß und fragte: „Was ist dies?“
Tōyan wurde plötzlich erleuchtet.
Selbstvergessen hob er die Arme in die Höhe und tanzte umher.
Seppō sagte: „Benimmst du dich etwa vernünftig?“
Tōyan sagte: „Was hat dies mit Vernunft zu tun?“
Seppō strich ihm über den Rücken und bestätigte seine Erleuchtung.

NORMALERWEISE BESCHÄFTIGEN WIR uns mit dem *'das'*, dem Anderen, dem Äußeren. Höchst selten drehen wir den Kopf und blicken nach innen, schauen uns *dies* an. Ständig in Eile hetzen wir hierhin und dahin, und unsere Wahrnehmung ist auf *das* fixiert. Es ist *das*, was Konflikte

Nur ein einziger Schritt

schafft, permanente Anspannung. Das Gefühl, vom Ganzen getrennt zu sein, ist die Ursache jeder Form von Angst. In der Meditation, wenn du dein Inneres erforschst, gehst du vom *das* zum *dies.* Vom *dort* zum *hier.* Im *dies!,* in diesem Seins-Zustand löst sich alle Anspannung auf, das Gefühl des Getrenntseins von der Existenz ist aufgehoben.

Dies.

Dein ganzes Bewußtsein weist in eine Richtung, durchdringt die Staubschichten, die sich angesammelt haben, solange bis du bei dem kristallklaren Diamanten im Zentrum deines Wesens angekommen bist. *Dies. Nur dies.*

Selbstvergessen hob er die Arme in die Höhe und tanzte umher.

In diesem Tanz ist der Tänzer aufgegangen. Nur das Tanzen bleibt, das Feiern, daß das *Ich* sich aufgelöst hat, daß das Objekt zum Subjekt geworden ist. Es gibt keine Trennung mehr zwischen seinem Wesen und der Existenz.

Seppō sagte: „Benimmst du dich etwa vernünftig?" Tōyan sagte: „Was hat dies mit Vernunft zu tun?" Seppō strich ihm über den Rücken und bestätigte seine Erleuchtung. Es war keiner mehr da, der sich hätte vernünftig benehmen können. Vernunft hat mit dem Verstand zu tun, aber Toyan hatte den Sprung vom Verstand zum Nicht-Verstand gemacht. Er war im Mysterium der Existenz aufgegangen, in einem ozeanischen Gefühl von Einssein mit dem Universum… Er war zu einem kosmischen Bewußtsein geworden, das in der Enge des rationalen Verstandes keinen Platz gefunden hätte.

Seppō strich ihm über den Rücken und bestätigte seine Erleuchtung.

WAS SOLLEN WIR TUN,
WENN DIE DREI WELTEN UNS ANGREIFEN?

Ein Mönch fragte Gantō:
„Was sollen wir tun, wenn die drei Welten uns angreifen?"
„Still sitzen!" sagte Gantō.
Der Mönch war überrascht und sagte:
„Bitte erkläre mir das näher."
„Bring mir den Berg To", sagte Gantō,
„dann sage ich es dir."

WAS KÖNNTE MAN anderes über Meditation sagen als „Still sitzen". Kennst du den berühmten Haiku von Basho:

Still sitzen,
nichts tun.
Der Frühling kommt,
das Gras wächst ganz von alleine.

Nichts anderes ist nötig, außer sich hinzusetzen und den Gedankenfluß zur Ruhe kommen zu lassen. Erst kommt der Körper zur Ruhe und wird wie eine Statue, und dann kann auch der Strom der Gedanken langsamer werden, bis das Denken aufgehört hat. Dann ist Stille.

Die Frage des Mönches kommt aus dem Intellekt: *„Was sollen wir tun, wenn die drei Welten uns angreifen?"* Weshalb sollte man sich um die drei Welten Gedanken machen? Es ist eine rein hypothetische Frage, die für dein inneres Wachstum völlig bedeutungslos ist.

Wenn du einen Meister hast, reicht es, wenn du still bist, meditierst, die strahlende Präsenz des Meisters in dir aufnimmst. In seiner Gegenwart kann sich etwas ereignen, aber der Schüler muß auch bereit sein, es aufzunehmen. Meditation räumt den ganzen Schutt und Müll beiseite, der sich in deiner Vergangenheit angesammelt hat und dem im Wege steht. Erst wenn der Müll beseitigt ist, hat der Schüler den Raum, um etwas aufzunehmen. Der Mönch in diesem Dialog muß ein Novize gewesen sein, denn er hatte nicht verstanden.

Der Mönch war überrascht und sagte: „Bitte erkläre mir das näher." „Bring mir den Berg To", sagte Gantō, „dann sage ich es dir."

Gantō sagt: *„Bring mir den Berg To"*. Das ist absurd, unmöglich. Damit sagt er dem Mönch 'Deine Frage ist genau wie diese Antwort, es ist unmöglich, sie zu beantworten. Ich habe es versucht, aber du hast nicht verstanden. Was kann ich noch sagen? Ich habe alles gesagt, was möglich war.'

WAS IST DAS GEHEIMNIS
DER GEHEIMNISSE?

Ein anderes Mal fragte eine Nonne Jōshū:
„Was ist das Geheimnis der Geheimnisse?"
Jōshū tippte sie an ihren Ellbogen.
Die Nonne sagte:
„Du hältst immer noch etwas fest."
„Nein", sagte Jōshū, „Du bist es, die es festhält."

EINEM MÖNCH IST es nicht erlaubt, eine Frau anzufassen – sein Weg schreibt ihm das Zölibat vor. Daß Jōshū die Nonne am Ellbogen berührte, ist sehr ungewöhnlich. Die Nonne muß sehr überrascht gewesen sein, denn das hatte sie nicht erwartet.

Welch spontane Antwort! Er hatte keinen vorformulierten Satz für die Nonne, sondern er ging auf die Person, die vor ihm stand, unvoreingenommen ein.

Die Nonne sagte: „Du hältst immer noch etwas fest." „Nein", sagte Jōshū, „du bist es, die es festhält." Die Nonne war bestimmt sehr überrascht. Das war nicht die Antwort, derentwegen sie gekommen war. Sie hatte eine Predigt, eine lange Erklärung erwartet. Statt dessen faßte Jōshū sie an. Darauf reagierte ihr Kopf wahrscheinlich mit vielen Gedanken wie:

Er kann kein erleuchteter Meister sein, ist immer noch hinter Frauen her, er muß ein Betrüger sein. Deshalb kam sie sofort zu dem Schluß: *„Du hältst immer noch etwas fest."*

Aber Jōshū war ein wahrer großer Meister.

„Nein", sagte Jōshū, „Du bist es, die es festhält." Er ist über die Vorstellung hinausgegangen, daß er mit seinem Körper identifiziert ist, er ist nicht mehr an die Vorstellung gebunden, Mann oder Frau zu sein. Er ist nur noch. Er zeigte der Nonne „Du bist immer noch mit deinem Körper identifiziert, damit, daß du eine Frau bist. Laß diese Vorstellung fallen, laß diese Gefangenschaft hinter dir."

Das Geheimnis der Geheimnisse liegt jenseits der Dualität von Körper und Geist. Du kannst es nur in der Leere deines Herzens finden. Aber dann wirst du entdecken, daß du alle Beschränkungen deines Körpers hinter dir gelassen hast, dann bist du zu einem Seins-Zustand zurückgekehrt, der keine Formen, keine Farben kennt … er kennt nur *Sein.*

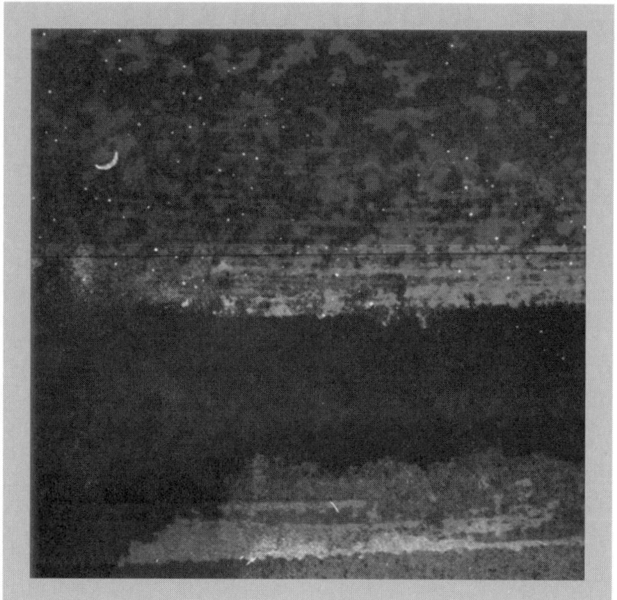

WIE KANNST DU
GEBURT UND TOD ENTFLIEHEN?

Suigan dachte, er habe im Zen gewisse Fertigkeiten erreicht und verließ bereits als junger Mönch Jimyōs Kloster, um durch ganz China zu reisen. Jahre später, als Suigan zurückgekehrt war und das Kloster besuchte, sagte ihm sein alter Lehrer: „Gib mir eine Zusammenfassung des Buddhismus." Suigan antwortete: „Wenn keine Wolke über dem Berg hängt, durchdringt das Mondlicht die Wellen des Sees." Jimyō blickte seinen früheren Schüler wütend an. Er sagte: „Du wirst alt! Dein Haar ist weiß geworden und deine Zähne spärlich, und dennoch hast du vom Zen solch eine Vorstellung. Wie kannst du Geburt und Tod entfliehen?" Suigan senkte den Kopf, Tränen liefen ihm über das Gesicht. Einige Minuten später sagte er: „Bitte sag mir die Zusammenfassung des Buddhismus." „Wenn keine Wolke über dem Berg hängt", sagte der Lehrer, „durchdringt das Mondlicht die Wellen des Sees." Noch bevor der Lehrer zu Ende gesprochen hatte, war Suigan erleuchtet.

In der Leere ist alles

HÖRE GUT HIN, er *dachte*, er habe im Zen gewisse Fertigkeiten erreicht …

Jahre später, als Suigan zurückgekehrt war und das Kloster besuchte, sagte ihm sein alter Lehrer: „Gib mir eine Zusammenfassung des Buddhismus."

Der Meister will keine auswendig gelernte Antwort hören. Suigan soll das ausdrücken, was er auf der Suche nach seinem wahren Selbst gefunden hat. Bist du heimgekommen, bei deinem innersten Sein angekommen? Erzähl mir von deiner Erfahrung!

Aber Suigan verhielt sich wie ein Gelehrter. Er wiederholte Worte, die er irgendwo gehört oder gelesen hatte, er sprach nicht von seiner eigenen Erfahrung. Wie ein Papagei wiederholte er einfach etwas, aber seinen alten Meister konnte er damit nicht täuschen. Deshalb blickte der Meister ihn wütend an: Was hast du gemacht in all den Jahren? Hast du Schriften auswendig gelernt?

Suigan senkte den Kopf, Tränen liefen ihm über das Gesicht.
Einige Minuten später sagte er: „Bitte sag mir die Zusammenfassung des Buddhismus."
„Wenn keine Wolke über dem Berg hängt", sagte der Lehrer, „durchdringt das Mondlicht die Wellen des Sees."

Es kommt immer darauf an, wer spricht, nicht darauf, was gesagt wird. Der Meister wiederholte den Satz, doch er kam aus seiner eigenen Erfahrung heraus, aus seiner eigenen Autorität. Und als die Tränen das angelernte Wissen abgewaschen hatten, das sich wie Staub auf dem Spiegel abgesetzt hatte, blieb nur Stille, reine Leere übrig. In dieser Leere erkannte Suigan zum ersten Mal sein wahres Gesicht.

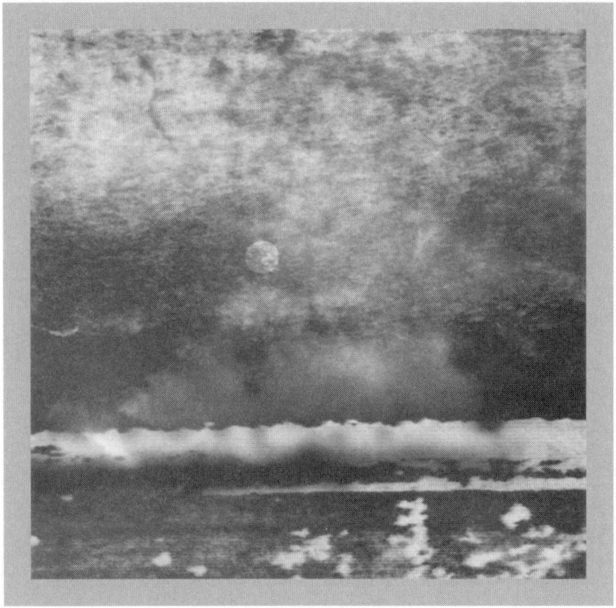

WAS IST DAS
GEHEIME WORT BUDDHAS?

Ein hoher Beamter sagte zu Ungo:
„Der Welterhabene hatte eine geheime Botschaft;
Mahakashyapa hielt sie nicht geheim.
Was ist das geheime Wort Buddhas?“
Ungo rief ihm zu: „Euer Ehren!“
„Ja!“ antwortete er.
Ungo fragte: „Hast du verstanden?“
„Nein“, antwortete er.
Ungo sagte: „Wenn du nicht verstehst,
dann ist es das geheime Wort Buddhas;
wenn du verstehst, ist es Mahakashyapa,
der es nicht geheim hält.“

VIELLEICHT KENNST DU die Geschichte: Buddha trat vor die Versammlung der Mönche und hielt eine Blume in der Hand. Er setzte sich hin und schaute einfach nur die Blume an. Die Mönche wurden allmählich ungeduldig. Sie warteten darauf, daß sein Vortrag beginnt. Plötzlich fing Mahakashyapa an laut zu lachen. In den ganzen Jahren, in denen er mit Buddha war, hatte er nie eine Frage gestellt. Er kam immer nur, setzte sich unter einen Baum und hörte still zu, wenn Buddha sprach. Sein Lachen ist der Anfang des Zen, er war der erste Zen-Meister. Buddha stand auf, gab Mahakashyapa die Blume und ging. Der Vortrag war zu Ende, alles war gesagt.

Seit diesem Tag stellen Sucher immer wieder dieselbe Frage „Was ist zwischen Buddha und Mahakashyapa passiert?"

Ein hoher Beamter sagte zu Ungo: „Der Welterhabene hatte eine geheime Botschaft; Mahakashyapa hielt sie nicht geheim. Was ist das geheime Wort Buddhas?"
Ungo rief ihm zu: „Euer Ehren!" „Ja!" antwortete er.
Ungo fragte: „Hast du verstanden?"
„Nein", antwortete er.

Wenn du *Hier* bist, in diesem Augenblick, wenn du still und präsent bist, kennst du Buddhas Geheimnis. Dann ist es kein Geheimnis mehr, dann teilst du das Geheimnis mit ihm, so wie Mahakashyapa es mit ihm teilte.

Ungo sagte: „Wenn du nicht verstehst,
dann ist es das geheime Wort Buddhas;
wenn du verstehst,
ist es Mahakashyapa, der es nicht geheim hält."

Osho kommentierte zu diesem Koan:

Es gibt kein Geheimnis.
Alles ist so offen wie der Himmel,
nur du bist verschlossen.

WAS IST DIE GROSSE
BEDEUTUNG DES BUDDHISMUS?

Ein Mönch fragte Nan'in:
„Was ist die Große Bedeutung des Buddhismus?" Nan'in antwortete:
„Der Ursprung von -zig Tausend Krankheiten."
Der Mönch sagte: „Bitte kuriere mich!"
Nan'in sagte:
„Der Welt-Doktor verschränkt seine Arme."

DER MÖNCH FRAGT Nan'in über die Große Bedeutung des Buddhismus und meint damit das Äußere. Er fragt nach der Form, nicht nach der Essenz. In dem Augenblick, in dem etwas zu einem „-ismus" wird, hat es aufgehört zu leben. Der Mönch sitzt einem lebendigen Buddha gegenüber und befragt ihn über den Buddhismus.

Buddha selbst war nie ein Buddhist, genauso wenig wie Christus jemals ein Christ war. Das ist der größere Zusammen-

Es gibt nur eine Heilung

hang, in dem man Nan'ins Antwort zu verstehen hat.

Nan'in antwortete: „Der Ursprung von -zig Tausend Krankheiten."

Es gab einmal etwas Lebendiges, nun ist es tot. Je organisierter eine Religion wird, desto mehr Krankheit erzeugt sie. Sobald sie sich von der frischen, unmittelbaren Erfahrung entfernt und sich zu einer Philosophie entwickelt, wird sie zur Krankheit. Nan'in verurteilt nicht Buddha, sondern die unglückliche Neigung des menschlichen Verstandes, eine lebendige Erfahrung in eine Zwangsjacke aus Regeln und Gesetzen zu packen.

Der Mönch sagte: „Bitte kuriere mich!" Als ob er von außen geheilt werden könnte!

Nan'in sagte: „Der Welt-Doktor verschränkt seine Arme."

Wie kann ein anderer dir helfen? Die Krankheit ist in dir, und nur wenn du nach innen gehst, wenn du meditierst, kannst du kuriert werden. Kein anderer kann es für dich tun. Der Weg nach innen ist zu schmal für zwei Paar Schuhe. Du mußt ihn alleine gehen. Das ist auch das Schöne daran, denn es wird keinerlei Abhängigkeit, keine Bindungen geben. Du kannst dich selbst heilen, du brauchst nur genug Mut, die Außenwelt hinter dir zu lassen und dich auf dein innerstes Wesen einzulassen.

Es ist da und wartet darauf, daß du kommst. Dann gibt es keine Krankheiten mehr, und zum ersten Mal begegnest du dem Buddha in dir.

WAS IST DIE WAHRE BEDEUTUNG DES BUDDHISMUS?

Nachdem Kakusan erleuchtet wurde, sagte einmal ein Asket zu ihm: „Was ist die wahre Bedeutung des Buddhismus?" Kakusan schwieg und verbeugte sich vor ihm. Der Asket fragte: „Verbeugst du dich vor einem Mann, der aus der Welt kommt?" Kakusan antwortete: „Siehst du nicht, was ich sage? Ich bin dein berühmter Schüler!"

IN DEINEM ZENTRUM, deiner Mitte, bist du ein Buddha, auch wenn du es noch nicht erkennen kannst.

Der Buddha in dir war und ist immer da, du mußt dich nur daran erinnern, daß er da ist, und ihn erkennen – du mußt aus deinem Schlaf erwachen, und Buddha ist da. Das ist der einzige Unterschied zwischen einem Sucher und einem Erleuchteten. Der eine schläft noch, der andere ist aufgewacht.

Du bist, was du suchst

Nachdem Kakusan erleuchtet wurde, sagte einmal ein Asket zu ihm: „Was ist die wahre Bedeutung des Buddhismus?" Kakusan schwieg und verbeugte sich vor ihm.

Er verbeugte sich vor dem Buddha, der im Innersten des Asketen darauf wartete, erkannt zu werden. In dieser stillen Verbeugung ist Buddhas gesamte Lehre enthalten.

In deinem innersten Kern bist du ein Buddha, du hast es nur vergessen. Ein Schritt noch, und der Buddha offenbart sich. Auch jetzt, in diesem Augenblick wartet er geduldig, daß du dich an ihn erinnerst, daß du zu deiner ursprünglichen Quelle zurückfindest.

Der Asket fragte: „Verbeugst du dich vor einem Mann, der aus der Welt kommt?" Kakusan antwortete: „Siehst du nicht, was ich sage? Ich bin dein berühmter Schüler!"

Der Asket war erstaunt, daß Kakusan sich vor einem weltlichen Mann verbeugte: Ein Buddha verbeugte sich vor einem Unerleuchteten. Kakusan hatte ihm die wahre Bedeutung des Buddhismus gezeigt, als er sich still, mit Liebe verbeugte. Als der Mann es nicht verstand, sagte er *„Siehst du nicht, was ich sage? Ich bin dein berühmter Schüler!"*

Er meint damit: Vor gar nicht langer Zeit war ich an der gleichen Stelle, an der du jetzt bist. Auch ich kannte meine wahre Natur nicht, jetzt aber kenne ich sie. Du bist auf dem Weg. Noch ein paar Schritte, und du bist angekommen. Aber in deinem Innersten bist du schon ein Buddha und bist schon immer ein Buddha gewesen.

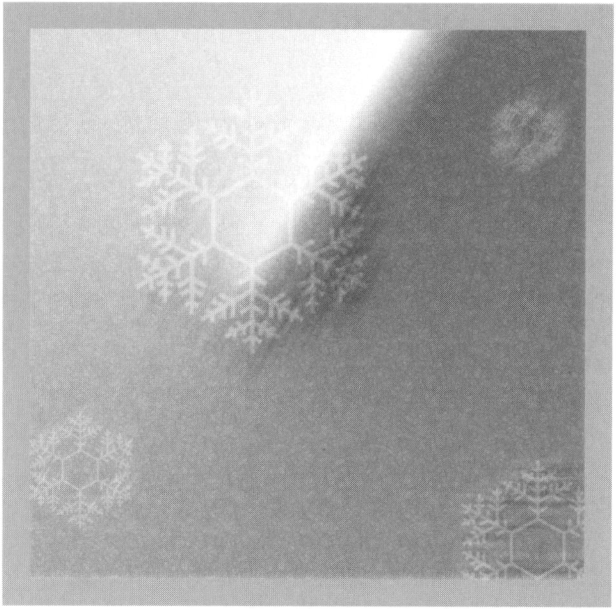

WAS IST DIE ESSENZ
DIESES GEISTES?

*Bassui schrieb einem seiner Schüler,
der im Sterben lag, den folgenden Brief:
„Die Essenz deines Geistes ist nicht geboren worden, also wird sie auch niemals sterben. Sie ist keine Existenz, die vernichtet werden kann. Sie ist keine Leere, die nur Vakuum ist. Sie hat weder Farbe noch Form. Sie genießt keine Freuden und leidet keine Qualen.
Ich weiß, daß du sehr krank bist. Du siehst dieser Krankheit gerade ins Gesicht, wie es von einem guten Zen-Schüler zu erwarten ist.
Du weißt vielleicht nicht genau, wer es ist, der leidet, aber stelle dir die Frage: Was ist die Essenz dieses Geistes? Denke nur an dies. Mehr ist nicht nötig. Begehre nichts. Dein Ende, das endlos ist, löst sich auf wie eine Schneeflocke in klarer Luft."*

VOM AUGENBLICK DEINER Geburt an beginnt bereits dein Sterben. Die meisten Menschen wollen nicht wahrhaben, daß der Tod zum Leben gehört. Die Angst vor dem Tod ist deshalb so groß, weil man nicht wirklich lebt. Wenn das Leben voll ausgeschöpft, sein ganzes Potential gelebt wird, kann auch der Tod willkommen geheißen werden. Im Zen, in der Meditation wird der Tod zum Höhepunkt eines erfüllten, eines gelebten Lebens. Dann braucht man keinen Trost oder Zuspruch, dann wird der Tod zum Fest.

Der Meister, der seinem sterbenden Schüler schreibt, hilft ihm dabei, in der Stunde des Todes so bewußt und wach wie möglich zu bleiben. Wenn er im Moment des Todes bewußt bleiben kann, wird er nicht wiedergeboren werden und er wird sein ganzes Potential erkennen.

Bassui schrieb einem seiner Schüler, der im Sterben lag, den folgenden Brief: „Die Essenz deines Geistes ist nicht geboren worden, also wird sie auch niemals sterben. Sie ist keine Existenz, die vernichtet werden kann. Sie ist keine Leere, die nur Vakuum ist. Sie hat weder Farbe noch Form. Sie genießt keine Freuden und leidet keine Qualen.

Du bist nicht geboren worden, und *du* wirst nicht sterben. Du warst schon immer hier, hast deine Form verändert, bist von Körper zu Körper gewandert, doch deine Essenz, dein Innerstes, hat sich nicht verändert. Sie ist nicht existent, sie ist die Existenz selbst. Sie kann nirgendwohin gehen, sie ist immer hier.

Ich weiß, daß du sehr krank bist. Du siehst dieser Krankheit gerade ins Gesicht, wie es von einem guten Zen-Schüler zu erwarten ist.

Du bleibst ein Beobachter, ein Zeuge der Tatsache, daß du nicht die Krankheit bist...

Du siehst dieser Krankheit gerade ins Gesicht, wie es von einem guten Zen-Schüler zu erwarten ist. Du weißt vielleicht nicht genau, wer es ist, der leidet, aber stelle dir die Frage: Was ist die Essenz dieses Geistes? Denke nur an dies.

Gehe nach innen und frage dich: Wer bin ich? Wer ist in mir, der nicht das Leiden ist, nicht der Körper, nicht der Schmerz. Wer ist dieser sterbende Körper? Suche so lange, bis du es findest, daß *du* nicht das Leiden bist. Das Leiden ist da, die Schmerzen sind da, der Körper verfällt, aber es gibt einen stillen Beobachter, einen Zeugen, tief in dir drin, in deinem Zentrum. Dieses Zentrum bleibt unberührt von dem, was draußen geschieht.

Stelle dir die Frage: Was ist die Essenz dieses Geistes? Denke nur an dies.

Erkenne zuerst, daß du nicht das Leiden bist, daß du nur der Beobachter bist. Dann frage dich selbst, was ist die Essenz dieses Geistes, wer bin ich? Wer ist tief in mir drin?

Lege ab, was du gelernt hast. Entkleide dein Ego. Was auch immer du von anderen angenommen hast, wirf es hinaus. Niemand kann dich kennen, nur du selbst kannst nach innen gehen und nach dem Wahren, Wirklichen suchen. Der Mönch liegt im Sterben, und der Meister sagt ihm in der Stunde des Todes: Denke nur an *dies*. Alles wird wegfallen, der Körper, der Verstand, alles, womit du dich jemals identifiziert hast. Nur *dies* bleibt übrig. *Denke nur an dies. Mehr ist nicht nötig. Begehre nichts.* Laß dich nicht von Wünschen verleiten. Denke nicht daran, was nach dem Tod sein wird, wünsche dir nicht, irgend etwas zu erreichen. Forsche weiter in dir, aber laß dich nicht von den Wünschen deines Verstandes ablenken. In dem Augenblick, wo du dir etwas wünschst, hast du dich vom Zeugen entfernt. Laß die Frage wie einen Blitz in dich eindringen, bis er in dein Zentrum einschlägt.

Dann löst sich dein Ende, das endlos ist, ... auf wie eine Schneeflocke in klarer Luft."

Was für ein schönes Bild, ein kalter, klarer Wintertag, blauer Himmel, leise senken sich die Schneeflocken auf die Erde und hüllen sie in einen weißen Mantel. Die Sonne kommt heraus, und die Schneeflocken schmelzen in der klaren Luft.

Mitsuhiro schrieb:
Hüte dich davor,
am Schriftzeichen für „Nichts“ zu nagen:
Deine Zähne werden abbrechen.
Schluck es in einem Stück hinunter.

WO WOHNST DU?

Einmal waren Mayaoku, Nansen und ein anderer Mönch auf Wanderschaft, oder wie man es in jenen Tagen nannte, „sie erpilgerten sich die Natur" oder „genossen die Wolken". Das bedeutete, sie zogen dahin wie die Wolken, flossen wie das Wasser, freuten sich an den Bergen, spielten in den Flüssen und Seen. Zur gleichen Zeit waren sie aber auch auf dem Weg zu Kinzan, um ihm Fragen zu stellen.

Da trafen sie eine alte Frau und fragten sie: „Wo wohnst du?" „Hier", sagte sie, und die drei gingen in ihre Teestube. Die alte Frau machte eine Kanne Tee, brachte drei Tassen, stellte sie auf den Tisch und sagte: „Laßt denjenigen, der gottähnliche Macht hat, den Tee trinken." Die drei sahen einander an, aber keiner sagte etwas und keiner trank den Tee. Die alte Frau sagte: „Diese dumme alte Frau wird euch ihre ganze Macht zeigen. Schaut nur!" und sie nahm den Tee, trank ihn aus und ging.

ein Ort, an dem du sein kannst

DIE DREI MÖNCHE 'erpilgerten sich die Natur' – welch schöne Art zu reisen! Nicht etwa den direkten Weg von A nach B zu gehen, sondern sich die Natur zum Führer zu nehmen, mit den Wolken zu ziehen. Kinzans Tempel muß nahe gewesen sein, und sie wollten ihn besuchen, um zu sehen, ob sie mit dem Meister im Einklang schwingen.

Da trafen sie eine alte Frau und fragten sie: „Wo wohnst du?" „Hier", sagte sie, und die drei gingen in ihre Teestube. Die alte Frau lebte in der Nähe von Kinzans Tempel. Vielleicht lag sein Kloster auf einem Berg, und sie lebte am Fuß des Berges.

Die alte Frau machte eine Kanne Tee, brachte drei Tassen, stellte sie auf den Tisch und sagte: „Laßt denjenigen, der gottähnliche Macht hat, den Tee trinken." Die drei sahen einander an, aber keiner sagte etwas und keiner trank den Tee. Die alte Frau war selbst eine Meisterin. Die drei Mönche dachten wahrscheinlich, daß sie nur diese kleine Teestube hatte. Sie hatten sie schon nicht verstanden, als sie auf die Frage, wo sie wohne, antwortete *„Hier"*.

Hier ist der einzige Ort, an dem man leben kann. Es gibt keinen anderen Ort, kein anderes Zuhause. Aber die Mönche haben sie nicht verstanden. Also brachte sie den Tee und schlug vor:

„Laßt denjenigen, der gottähnliche Macht hat, den Tee trinken." Wer hat gottähnliche Macht? *Die alte Frau sagte „Diese dumme alte Frau wird euch ihre ganze Macht zeigen. Schaut nur!" und sie nahm den Tee, trank ihn aus und ging.*

Gott lebt in jedem Wesen. Gott ist deine wahre Natur. Aber du bist in deinem Verstand gefangen und hast es vergessen. Wenn du über den Verstand hinaus gehst und dir Nicht-Verstand, Spontaneität zu eigen machst, gibt es nur noch Gott, existiert nur unermeßliche Göttlichkeit.

WAS HAST DU IN DEINEN
VERGANGENEN LEBEN GEMACHT?

Yakusan sprach mit Meikei Oshō und erzählte später Ungan: „Meikei war einmal Aufsichtsbeamter der Regierung in einem früheren Leben." Ungan fragte: „Oshō, was hast du in deinen vergangenen Leben gemacht?"
Yakusan sagte: „Ängstlich und unsicher, mit Hunderten von Häßlichkeiten und Tausenden von Plumpheiten habe ich es irgendwie geschafft, meine Leben zu leben."
Ungan erzählte dies später Dogō, der daraufhin sagte: „Es ist eine gute Geschichte, aber eine Frage fehlt."
„Darf ich fragen, was?" fragte Ungan.
Dogō sagte in der Art und Weise des literarischen, gelehrten Chinesisch: „Wie bist du zu dem geworden, der du bist?"
Ungan überbrachte Yakusan die Frage und benutzte dasselbe gelehrte Chinesisch.
Yakusan antwortete: „Ich öffne niemals ein Buch."

Sein Innerstes entdecken

Ungan war ein Schüler Yakusans. Als er davon hörte, daß Yakusan die früheren Leben von Menschen sehen konnte, wollte er natürlich wissen, was sein Meister in seinen früheren Leben gemacht hatte. Vielleicht hatte er erwartet, daß Yakusan ein großer König, ein berühmter Eroberer oder eine andere große historische Figur war. Die meisten Menschen behaupten ja, jemand ganz Wichtiges gewesen zu sein, wenn sie sagen, sie könnten sich an ihre frühere Leben erinnern.

Also fragte Ungan ihn *„Oshō, was hast du in deinen vergangenen Leben gemacht?"*

Der Name Oshō ist ein Ausdruck großer Verehrung und großem Respekt. Der Schüler benutzt ihn, um seine Liebe und Dankbarkeit gegenüber seinem Meister auszudrücken.

„Oshō, was hast du in deinen vergangenen Leben gemacht?"

Aber Yakusan war ein großer Meister und sagte:

„Ängstlich und unsicher,
mit Hunderten von Häßlichkeiten und Tausenden von Plumpheiten habe ich es irgendwie geschafft,
meine Leben zu leben."

Er behauptete nicht, eine wichtige Person gewesen zu sein, er stellte nur fest, womit er in seinen früheren Leben zu tun hatte: *„Ängstlich und unsicher, mit Hunderten von Häßlichkeiten und Tausenden von Plumpheiten ..."*

Er sagt, ich war genau so, wie ihr jetzt seid, voller Angst, voller Schmerzen, und habe es irgendwie geschafft, zu leben... Als Ungan später Dogō davon erzählte, sagte Dogō, daß eine Frage fehle, nämlich: *„Wie bist du zu dem geworden, der du bist?"*

Er meint damit, wie hast du es geschafft, den Kreislauf zu durchbrechen, wie konntest du deine Erleuchtung erlangen? Ungan überbrachte Yakusan die Frage, und er antwortete: *„Ich öffne niemals ein Buch.“*

Er sagt, du mußt in dein eigenes Inneres hineinschauen, deinen inneren Raum entdecken. Ich kann nur von der Vergangenheit sprechen, denn was auch immer geschah, als ich ein Buddha wurde, kann nicht mit Worten gesagt werden. Ich kann nur Hinweise geben. Du mußt es für dich selbst herausfinden, nur so kannst du es erfahren.

KURZBIOGRAPHIEN

Baso Dōitsu
(chin. Ma-tsu Tao-i)
709-788

Baso war Schüler und einziger Nachfolger von Nagaku. Er ist der Meister vieler berühmter Meister wie zum Beispiel Hyakujō, Nansen und Daibai. Es ist überliefert, daß er mehr als 139 Dharma-Nachfolger hatte. Baso war ein Zeitgenosse von Sekitō, und während Baso in der Provinz Kiangsi lebte, lebte Sekitō, in Hunan. Beide sandten sich gegenseitig Schüler, und Baso gab seinen Schülern oft die Warnung mit: „Vorsicht! Der Weg des Steinkopfs ist glatt und schlüpfrig!"

Baso war schon als Kind Schüler eines örtlichen Klosters, und noch bevor er zwanzig wurde, ließ er sich als Mönch initiieren. Er wurde zu einer der bedeutendsten Figuren des Zen nach dem sechsten Patriarchen Enō. Es heißt, Enō habe Nagaku von einer Prophezeiung erzählt, nach der Nagaku ein 'junges, feuriges Pferd' als Schüler haben würde, der 'die ganze Welt niedertrampeln' würde. 'Ma' in Basos chinesischem Namen Ma-tsu bedeutet 'Pferd'. Als Nagaku Baso zum ersten Mal sah, erkannte seine Intuition ihn sofort.

Es heißt, Baso erlangte seine Erleuchtung, als Nagaku die folgenden Worte sprach:

„Der Grund des Nicht-Verstandes
birgt viele Saatkörner,
die alle sprießen werden,
wenn der himmlische Regen fällt.
Die Blume des Samadhi
ist jenseits von Farbe und Form.
Wie kann es da noch Veränderlichkeit geben?"

Nach seiner Erleuchtung diente Baso seinem Meister zehn Jahre lang. Als Meister war er sehr kreativ und besaß großen Erfindungsgeist für die

Unterweisung seiner Schüler. Er nutzte jede Situation als Werkzeug, damit seine Schüler das wieder entdecken konnten, was schon immer da war.

Es ist überliefert, daß zu seiner Zeit die Jahre der Entsagung in den Bergen, die zur praktischen Übung des Zen dazugehörten, abgeschafft wurden. Basos Zen war „nichts anderes als der Geschmack intensiven Lebens."

Ein berühmter Dialog zwischen Baso und einem Mönch lautet:

Ein anderes Mal fragte ein Mönch Baso:
„Was ist der Buddha?"
Baso antwortete: „Verstand ist der Buddha."
Da fragte der Mönch: „Was ist der Weg?"
„Nicht-Verstand ist der Weg", sagte Baso.
Da fragte der Mönch: „Sind der Buddha und der Weg irgendwie unterschiedlich?"
Baso antwortete:
„Der Buddha ist wie die Hand ausstrecken, der Weg ist wie die Faust schließen."

Bodhidharma
(chin. P'u-t'i-ta-mo, auch Ta-mo, auf japanisch: Daruma)

ca. 470-543

Bodhidharma wurde der 28. Patriarch nach Gautama Buddha. Er war der erste chinesische Patriarch des Ch'an, wie das Zen in China genannt wurde. Er war ein Schüler und Dharma-Nachfolger von Prajnadhara und wurde von ihm nach China gesandt, um dort Buddhas Lehre zu verbreiten. Sein berühmtester Schüler und Dharma-Nachfolger ist Eka (chin.: Hui-k'o), der 2. chinesische Patriarch.

Bodhidharma wurde als dritter Sohn eines Königs in Südindien geboren. Einige Quellen berichten, Bodhidharma sei von einer erleuchteten Frau namens Pragyatara initiiert worden und sie habe ihn nach China gesandt. Eine Frau als Meisterin zu haben, war sehr ungewöhnlich. Gautama Buddha hat zeit seines Lebens nur sehr widerstrebend Frauen als Jünger eingeweiht. In China hatten Lao Tzu und Chuang Tzu für Bodhidharma schon den

Boden bereitet. Als Bodhidharma aus Indien nach China kam, waren die Menschen sehr offen, den Mann zu empfangen, der die Botschaft Buddhas verinnerlicht hatte.

Durch Bodhidharma konnten zwei Strömungen zusammenfließen: das Tao, die Lebensweisheit Lao Tzus und Buddhas Erkenntnisse verschmolzen in ihm zu einer Einheit. Bodhidharma besaß die Qualitäten beider Meister. Es heißt, er kam im Jahr 520 mit dem Schiff nach Südchina, wurde dort aber nicht erkannt und verstanden und zog deshalb weiter nach Lo-yang in Nordchina. Er ließ sich im Kloster Shao-lin auf dem Berg Sung-shan nieder. Dort saß er neun Jahre lang und blickte auf eine Mauer, bis sein erster chinesischer Schüler, Eka, zu ihm kam.

Bodhidharmas Lehre war noch immer sehr im indischen Buddhismus verwurzelt. Der typisch chinesische Weg des Zen begann erst mit dem sechsten Patriarchen, Enō (chin.: Hui-neng), und den Zen-Meistern nach ihm.

Buddha

Siddharta Gautama (auf pali: Siddhatta Gotama)

Siddharta wurde im Jahr 566 oder 563 vor Christus als Sohn eines Königs in Kapilavastu geboren, einer Stadt, die im heutigen Nepal liegt. Der Name Siddharta bedeutet auf Pali „die Erfüllung". Der Legende nach soll der alte König zur Geburt seines Sohnes alle Astrologen des Königreiches zusammengerufen haben, damit sie das Leben des Jungen vorhersagen. Als der König sie fragte, welche Zukunft seinem Sohn bevorstehe, hoben alle außer einem, Koddana, zwei Finger. Als der König fragte, was das zu bedeuten habe, sagten sie: „Es gibt nur zwei Möglichkeiten: Entweder wird er ein großer *chakravartin*, ein weltlicher Herrscher, oder er wird der Welt entsagen und ein Buddha werden, ein erleuchtetes Wesen." Nur Koddana, der jüngste der Astrologen wagte es, nur einen einzigen Finger zu heben, was bedeutete, daß es nur den einen Weg für den Jungen gab, eine unsterbliche Seele zu werden. Der König fragte die Astrologen, was er tun könne, um das Kind davon abzuhalten, der Welt zu entsagen. Sie rieten ihm, zu verhindern, daß der Junge jemals einen alten Menschen, einen Kranken, einen Toten und einen Sannyasin – einen, der den materiellen Dingen der Welt entsagt hat – zu sehen bekomme. Der Vater wollte natürlich, daß sein Sohn sein Nachfolger werden würde. Er war schon alt, und bald sollte Siddharta das ganze Königreich gehören. Der König tat also das, was die Astrologen ihm geraten hatten. Sein Sohn wuchs in großem Luxus auf, umgeben von lauter schönen jungen Menschen. Er zog von Palast zu Palast in die verschiedenen Gegenden seines Reiches und genoß den Wechsel der Jahreszeiten. Er besaß alles, was das Leben an materiellem Reichtum zu bieten hatte.

Die Legende berichtet, daß Siddharta eines Tages, im Alter von 29 Jahren, in der Kutsche an einem alten Mann vorbeifuhr. Zum ersten Mal in seinem Leben sah er einen alten Mann. Bestürzt fragte er, was mit dem Mann geschehen sei. (Es heißt, die alten Meister hätten diese Situation herbeigeführt. Sie wollten Siddharta ermöglichen, die Wahrheit herauszufinden, und zeigten sich in Gestalt des alten Mannes und des Kutschers.) Der Kutscher antwortete, dies sei der Lauf des Lebens. „Sein Körper ist alt und gebrechlich geworden. Das gleiche wird mit dir geschehen.“ Als nächstes geriet die Kutsche mitten in die Zeremonie einer Leichenbestattung. Wieder fragte Buddha, was mit dem Mann geschehen sei. Der Kutscher antwortete: „Er war alt und krank, jetzt ist er gestorben, wie jeder Mensch sterben wird. Nach dem Alter kommt der Tod.“ Dann sah er einen Sannyasin, einen Mann in orangefarbener Kleidung mit einer Bettelschale. Wieder fragte er: „Was ist das für ein Mann?“ Der Kutscher sagte: „Das ist ein Sannyasin. Er ist ein Sucher. Er hat gesehen, daß das Leben zum Tod führt, und in ihm entbrannte die Frage: ‘Gibt es etwas in mir, das unsterblich ist?’ Er sucht nach seinem innersten Selbst.“ In der kommenden Nacht soll Buddha seinen Palast verlassen haben. Er verzichtete auf das Königreich und machte sich auf die Suche nach seiner eigenen Unsterblichkeit.

Die nächsten sechs Jahre zog er von Lehrer zu Lehrer, um Antworten auf seine Fragen zu finden. Schließlich erkannte er, daß kein Lehrer sein inneres Verlangen stillen konnte. Zum zweiten Mal sagte er sich von allem los, was er gelernt hatte, und saß die nächsten sechs Jahre in tiefer Versenkung, in Zazen. Eines Tages, als die letzten Sterne am Himmel verschwunden waren, erkannte er plötzlich sein innerstes Wesen, seine Unsterblichkeit. Anfangs wollte er still, für sich bleiben, doch dann ließ er sich überzeugen, seine Erfahrung mit anderen zu teilen und ihnen zu helfen, an dieselbe Quelle zu gelangen. Die nächsten 45 Jahre zog er in Bihar umher und lehrte. Er wurde als Gautama der Buddha bekannt, auch als Shakyamuni-Buddha. Er starb mit 80 Jahren an einem vergifteten Essen. Seine Schüler versammelten sich, um seine Reden und Vorträge niederzuschreiben. Aber nur Ananda, sein Vetter und langjähriger Diener, der Tag und Nacht mit Buddha zusammen war, erinnerte sich an alle seine Worte. Ananda wurde zu der Versammlung nicht zugelassen, weil er noch nicht erleuchtet war. Daraufhin, so heißt es, verbrachte er sechs Tage und Nächte in Meditation und erreichte schließlich die Einsicht in seine Mitte. Dann half er bei der Aufzeichnung von Buddhas Vorträgen, die fast alle mit den Worten beginnen: „Ich habe den Buddha sagen hören …“

Chimon Kōso
(chin. Chih-men Kuang-tsu)

Über sein Geburtsjahr ist nichts bekannt, er starb 1031.

Chimon gehörte der Ummon-Linie des Zen an, war Schüler und Dharma-Nachfolger von Kyōrin und der Meister von Setchō. Es heißt, er hatte 30 Dharma-Nachfolger. Er war einer der ersten Zen-Meister, der einen Kommentar zu den Aussagen der alten Meister schrieb. Sein Schüler Setchō führte diese Arbeit fort und wurde berühmt für seine Sammlung und Kommentare von 100 Koans. Sie waren die Grundlage für das Pi-yen-lu, eine der bekanntesten Koan-Sammlungen.

Ein Mönch fragte Chimon:
„Was ist der Körper der Weisheit?"
Chimon sagte:
„Eine Auster, die den hellen Mond verschluckt."
Der Mönch fragte: „Was ist die Funktion der Weisheit?"
Chimon sagte: „Ein Kaninchen, das trächtig wird."

Daitsū Zenji
(chin. Shen-hsiu, auch unter dem Namen Jinshū bekannt)
605?-706

Einmal verbeugte sich ein Mönch in der Gegenwart von Daitsū vor der Statue von Manjushri. Der Meister hob seine Fliegenklatsche hoch und sagte: „Manjushri und Samantabhadra sind beide hierin enthalten" – in der Fliegenklatsche. Osho sagt: „Wir halten die Ewigkeit in unseren Händen – ohne Anfang, ohne Ende. Irgendwo, irgendwann wird man zum Buddha – es geht gar nicht anders. Es ist nur eine Frage, wie tief entspannt du in dir selbst ruhen kannst."

Daitsū wurde nach seinem Tod der Titel Ta-tung Chan-shih verliehen.

Dōgen Zenji
auch unter den Namen Dōgen Kigen oder Eihei Dōgen bekannt
1200-1253

Er ist einer der berühmtesten japanischen Meister. Er brachte die Sōtō-Schule des Zen von China nach Japan.

Dōgen wuchs in Kyoto als Kind einer Aristokratenfamilie auf. Sein Vater war ein hochrangiger Minister, und Dōgen war ein außergewöhnlich intelligentes Kind. Es heißt, er habe bereits mit vier Jahren chinesische Gedichte gelesen. Als er sieben war, übersetzte er die Abhidarma-Schriften aus dem Chinesischen ins Japanische. Dann starb seine Mutter und er wurde Mönch. Als er zwölf war, starb auch sein Vater. Im Alter von dreizehn Jahren wurde Dōgen formell in die Mönchsbruderschaft auf dem Berg Hiei aufgenommen, das Zentrum buddhistischer Tendai-Studien in Japan. In den darauffolgenden Jahren studierte er unter der Aufsicht seines Lehrers, dem Abt Koen, die Schulen des buddhistischen Mahayana und Hinayana.

Als er vierzehn wurde, überkamen Dōgen tiefe Zweifel bezüglich eines bestimmten Aspekts der buddhistischen Lehre. Die Frage, die ihn so sehr beunruhigte, lautete:

Wenn, wie die Sutras sagen, „allen Menschen die Buddha-Natur innewohnt", warum muß man sich dann so mühsam ausbilden, um diese Buddha-Natur zu erkennen, um Erleuchtung zu erlangen?

Auf seiner Suche nach jemandem, der ihm helfen könnte, seine Zweifel zu beseitigen, fand er in Myōzen einen neuen Meister. Doch trotz seiner langjährigen Ausbildung bei Myōzen fühlte Dōgen sich noch immer unerfüllt. Mit 22 Jahren beschloß er, zusammen mit Myōzen eine Reise nach China zu unternehmen, um den Zen-Buddhismus genauer zu studieren. In China angekommen, machte er sich auf den Weg ins Kloster Tien-Tung, wo er bei Meister Wu-chi studierte.

Immer noch nicht an seinem Ziel angekommen, besuchte er während der nächsten Monate viele Klöster. Gerade als er seine Suche aufgeben und nach Japan zurückkehren wollte, hörte er davon, daß der ehemalige Abt des Klosters Tientung gestorben war und daß sein Nachfolger, Tendo Nyojo, als einer der besten Zen-Meister Chinas galt. Dōgen erlangte bei Tendo seine Erleuchtung und wurde sein Dharma-Nachfolger. Er kehrte 1227 nach Japan zurück und verbrachte die darauffolgenden 10 Jahre in Kyoto. Dann verließ er Kyoto und ging in die Berge der Provinz Echizen, im heutigen Fukui, weil er verhindern wollte, daß seine Lehre von weltlichen Einflüssen verwässert wurde. Innerhalb weniger Jahre entstand aus seiner anfangs kleinen Hütte ein großes Kloster, das heute noch existiert. Neben Soji-ji ist das Kloster Eiheiji eines der einflußreichsten Klöster des Sōtō-Zen. Die bekannteste Schrift Dōgens ist das *Shōbō-genzo*, das in viele Sprachen übersetzt worden ist. Darin schreibt Dōgen:

„Den Weg studieren heißt, das Selbst studieren. Das Selbst studieren heißt, das Selbst vergessen. Das Selbst vergessen heißt, von allen Dingen erleuchtet sein. Von allen Dingen erleuchtet sein heißt, die Schranken zwischen dem eigenen Selbst und dem anderer beseitigen. Dann hinterläßt die Erleuchtung keine Zeichen und Spuren, obwohl sie sich doch im täglichen Leben unendlich fortsetzt. Wenn wir zum ersten Mal das Gesetz suchen, sind wir noch weit von ihm entfernt. Doch bald nachdem uns das Gesetz korrekt vermittelt wurde, sind wir erleuchtete Wesen."

Dōgō Enchi
(chin. Tao-wu Yüan-chih)
768/69-853

Dōgō war ein Schüler und Dharma-Nachfolger von Yakusan. Sekisō war einer seiner eigenen Schüler. Dōgō war der Bruder von Ungan, der auch Yakusans Schüler war.

Über Dōgō wird die folgende Geschichte erzählt: Dōgō hatte einen Schüler namens Soshin. Soshin wurde als Novize aufgenommen, und es war verständlich, daß er zunächst von seinem Lehrer Unterweisungen im Zen erwartete, in der Art, wie ein Schuljunge von seinem Lehrer unterrichtet wird. Dōgō gab ihm aber keinerlei Unterricht, und Soshin war darüber sehr verwundert und enttäuscht.

Eines Tages sagte er zu seinem Meister: „Es ist schon einige Zeit vergangen, seit ich hierher gekommen bin, und ich habe über das Wesen der Zen-Lehre noch kein Wort vernommen." Dōgō antwortete: „Seit du hier angekommen bist, gebe ich dir Lektionen über die Disziplin des Zen." „Was konnten das für Lektionen gewesen sein?" „Wenn du mir morgens eine Tasse Tee bringst, trinke ich sie; wenn du mir eine Mahlzeit servierst, nehme ich sie an; wenn du dich vor mir verbeugst, antworte ich dir mit einem Nicken. Was erwartest du sonst, wie du in der Disziplin des Zen unterrichtet werden könntest?"

Soshin senkte den Kopf und dachte eine Weile über die rätselhaften Worte des Meisters nach.

Der Meister sagte: „Wenn du erkennen willst, dann schaue sofort richtig hin. Wenn du anfängst zu denken, begreifst du gar nichts."

Gantō Zenkatsu
(chin. Y'en-t'ou Ch'üan-huo)

828-887

Gantō war ein Schüler und Dharma-Nachfolger von Zuigan und Rasan.

Gantō studierte bei Tokusan zusammen mit einem weiteren Schüler Tokusans, Seppō. Gantō war bekannt für seinen klaren Blick und scharfen Verstand.

Es ist überliefert, daß Gantō in seinem späteren Leben, wann immer ihn jemand über Buddha oder das Dharma befragte, nur seufzte …

Die Geschichte seines Todes war zu allen Zeiten eine Herausforderung an die Zen-Schüler, viele haben versucht, zu verinnerlichen, was sie wohl zu bedeuten habe:

In den 80er Jahren des 9. Jahrhunderts waren die Zeiten unsicher, viele Banden zogen plündernd durchs Land und nahmen sich, was immer sie kriegen konnten. Als ein ganzer Trupp von Banditen auf dem Weg zu Gantōs Kloster war, flohen die Mönche und nur Gantō blieb zurück. Er blieb ruhig und still sitzen. Ein Bandit stürmte nach vorne, schrie ihn an, weshalb er keine Wertsachen anzubieten hätte, und tötete ihn mit seinem Schwert. Gantō, der sich nicht von der Stelle gerührt hatte, stieß einen Schrei aus und starb. Es heißt, der

Widerhall seines Schreis sei selbst in sehr großer Entfernung noch zu hören gewesen.

GENSHA SHIBI
(chin. Hsüan-sha Shih-pei)
835-908

Gensha war ein Schüler und Dharma-Nachfolger von Seppō. Es wird berichtet, daß er über 13 Dharma-Nachfolger hatte, unter ihnen auch Rakan.

Er wurde während der Regentschaft des Kaisers Bunso in der Provinz Fuku in Südchina geboren. Mit 30 Jahren wurde Gensha Schüler von Seppō. Später ließ er sich auf dem Berg Gensha nieder. Die folgende Geschichte vermittelt die Schärfe und Klarheit, mit der Gensha seine Schüler unterwies:

„Ich bin gerade initiiert worden und wünsche, im Zen unterwiesen zu werden", mit diesen Worten wandte sich Kyosai an seinen Meister Gensha. „Wie betrete ich den Weg, Meister?" „Hörst du den Fluß in der Nähe?" fragte Gensha. „Ja, Meister", sagte der Sucher. Dann war für einen kurzen Moment absolute Stille. Dann sagte Gensha: „Da! So betrittst du den Weg."

HAKUIN ZENJI, AUCH ALS HAKUIN EKAKU BEKANNT
1686-1769

Einer der bedeutendsten Meister der Rinzai-Schule des Zen. Hakuin wird oft als der Vater des modernen Rinzai-Zen betrachtet.

Er hatte viele Meister aufgesucht, bevor er Shoju Rojin begegnete. Bei ihm erlangte er seine Erleuchtung und hatte selbst viele Schüler, von denen z.B. Torei Enji sehr bekannt wurde. Das berühmte Koan „Wie klingt es, wenn nur eine Hand klatscht?" geht auf Hakuin zurück, der es zur Unterweisung seiner Schüler benutzte. Er genoß nicht nur als Dichter großes Ansehen, sondern auch als Maler und Bildhauer. Wie Hyakujō betonte auch Hakuin, wie wichtig tägliche Arbeit als

Bestandteil eines streng geregelten meditativen Lebens sei.

Hakuin war Abt mehrerer Klöster, unter anderem auch des Klosters Ryuta-ku-ji in der Provinz Shizuoka, wo das Rinzai-Zen in seiner ursprünglichen Form heute noch gelehrt wird.

Eine der berühmtesten Strophen in Hakuins Lied der Meditation, der *Hakuin Zenji Zazen-wasan,* lautet:

„Alle Wesen sind Buddhas
von Anfang an.
Es ist wie mit dem Wasser und dem Eis:
Ohne Wasser gibt es kein Eis.
Außerhalb des Lebendigen gibt es keine Buddhas.
Die Menschen wissen nicht, wie nah es ist,
und suchen es in der Ferne.
Wie schade!
Es ist, als ob einer im Wasser schreit, weil er Durst hat;
es ist wie ein Kind aus reichem Haus,
das inmitten der Armen umherirrt.
Unser ständiger Kreislauf durch die sechs Welten
hat seinen Grund:
Wir bewegen uns auf den dunklen Pfaden der Ignoranz.
Wenn wir einen dunklen Pfad nach dem andern
austreten,wie sollen wir je dem Rad von
Geburt und Tod entfliehen können?
Die Zen-Meditation des Mahayana
liegt jenseits all unserer Lobpreisungen.
Das Geben und die Moral und die anderen Fertigkeiten,
das Nehmen des Namens, die Reue, die Disziplin
und die vielen anderen richtigen Handlungen
führen alle schließlich zur Übung der Meditation.
Durch den Wert einer einzigen meditativen Übung
macht einer unzählige angehäufte Sünden zunichte.
Wie sollte es für ihn einen falschen Weg geben?"

Hō Un, besser bekannt als Hō Koji (chin. P'ang Yün, auch als P'ang-chü-shih bekannt)

740-808/811

Er war einer der bekanntesten weltlichen Zen-Studierenden. Hō war sein Nachname, und 'koji' war der Ehrentitel für einen weltlichen Zen-Studierenden.

Er war ein Schüler und Dharma-Nachfolger von Sekitō und später von Baso. Einer seiner nächsten Freunde war Tanka Tennen.

Hō Un wurde erleuchtet, und die Aufzeichnungen seiner Dialoge und Gespräche mit den Meistern seiner Zeit zählen zu den Klassikern der Zen-Literatur.

Sie heißen *Pang-chü-shih yü-lu* und liegen in englischer Übersetzung vor unter dem Titel *A Man of Zen. The Recorded Sayings of Layman Pang. A Ninth Century Classic,* Herausgeber: R. Fuller-Sasaki, Yoshitaka Iriya und Dana Fraser, New York und Tokyo.

Hōgen Buneki, auch Daihogen genannt (chin. Fa-yen Wen-i)
885-958

Hōgen war ein Schüler und Dharma-Nachfolger von Rakan. Es ist überliefert, daß er über 60 Dharma-Nachfolger hatte. Unter seinen Schülern war auch Tendai. Hōgen wird als Begründer der Hōgen-Schule des Zen angegeben, die in der Tradition von Gensha Shibi steht.

Sein Dharma-Name Daihogen bedeutet „Großes Dharma-Auge". Er war in der fünften Generation Dharma-Nachfolger von Tokusan. Hōgen verfaßte zahlreiche Schriften, von denen nur einige wenige erhalten sind. Mit sieben Jahren wurde er Mönch und beschäftigte sich mit den Lehren Buddhas und Konfuzius'.

Die folgende Geschichte erzählt von seiner Begegnung mit seinem späteren Meister Rakan (Jizo) Keishin Zenji: Ein paar Jahre später war Hōgen eines Tages auf dem Weg zum See, da begann es zu regnen und er suchte Schutz in Jizos Tempel. Jizo saß an der Feuerstelle und fragte Hō gen: „Wohin gehst du?" Hōgen antwortete: „Ich wandere einfach von Meister zu Meister auf der Suche nach Erleuchtung." „Was bedeutet das?"

fragte Jizo. „Ich weiß nicht“, sagte Hōgen. „Ich weiß nicht ist das Innerste“, sagte Jizo.

Die beiden saßen zusammen am Feuer und sprachen über eine Abhandlung zum Buddhismus. Als sie an eine Stelle kamen, die lautete „Der Himmel und ich haben dieselbe Wurzel“, fragte Jizo: „Sind die Berge und die Flüsse und die große Erde verschieden von mir oder gleich wie ich?“ Shinzan, der bei ihnen saß, antwortete: „Gleich.“ Jizo hielt zwei Finger in die Höhe, schaute sie mit ernstem Blick an und sagte, es seien zwei. Dann ging er hinaus. Es hatte aufgehört zu regnen, und Jizo begleitete Hōgen und Shinzan bis zum Tor.

Auf ihrem Weg durch den Garten lag ein Stein, und Jizo zeigte auf ihn und fragte: „Es heißt, in den drei Welten sei alles innerhalb des Verstandes. Ist dieser Stein nun innerhalb oder außerhalb davon?“ Hōgen antwortete: „Innerhalb.“ Jizo sagte: „Ihr pilgerndes Volk, weshalb denkt ihr, daß der Stein in eurem Verstand ist?“ Hōgen wußte nicht, was er sagen sollte, also schnürte er sein Bündel auf und bat Jizo, ihm bei der Lösung des Problems zu helfen.

Einen Monat später legte Hōgen Jizo den Standpunkt seiner Philosophie dar, aber Jizo sagte: „Der Buddhismus ist keine Philosophie.“ Da sagte Hōgen: „Nun bin ich an dem Punkt angekommen, alle Worte zu vermeiden und alle Philosophie aufzugeben.“ Jizo sagte: „Wenn du jetzt den Buddhismus erklärst, ist alles vollendet.“ Da erfuhr Hōgen tiefe Erleuchtung.

Hyakujō Ekai
(chin. Pai-chang Huai-hai, auch: Po-chang Hui-hai)

720-814

Hyakujō war Schüler und Dharma-Nachfolger von Baso. Zu seinen eigenen Schülern zählten Isan und Obaku.

Es wird berichtet, daß eines Tages, als Hyakujō seinen Meister Baso besuchte, ein Schwarm Wildgänse über ihre Köpfe hinweg flogen. Baso fragte: „Was sind sie?" „Es sind Wildgänse, Meister", sagte Hyakujō. „Wo sind sie?" fragte der Meister. „Sie sind weggeflogen, Meister", antwortete Hyakujō. Baso griff plötzlich nach Hyakujōs Nase und kniff zu. Vor Schmerz schrie Hyakujō auf. Baso sagte: „Du sagst, sie sind weggeflogen, und dennoch waren sie doch von Anfang an hier." In diesem Augenblick erlangte Hyakujō die Erleuchtung.

Später sagte Baso über ihn: „Zen ist mit Hyakujō." Hyakujō war bekannt für seine einfachen Worte, und doch besaß er fundierte Kenntnisse über den Buddhismus. Er war ein gescheiter und zugleich sanfter Mann; mit seinem Wissen anzugeben war nicht seine Art. Er hatte sehr viele Schüler.

Hyakujōs verfaßte eine berühmte Abhandlung über plötzliche Erleuchtung *(The Zen Teaching of Hui Hai On Sudden Enlightenment*, ins Englische übersetzt von J. Blofeld, London 1962) und gründete Zen-Klöster, in denen die Mönche zusammen lebten, meditierten und arbeiteten. Bis dahin waren die Zen-Meister und Mönche immer nur 'Gäste' in verschiedenen Tempeln gewesen. Sie bettelten um ihre täglichen Mahlzeiten, beteiligten sich aber nicht an den alltäglichen Arbeiten.

Hyakujōs Initiative war für die damalige Zeit revolutionär. Er bestand sogar darauf, daß die gesamte Ernte, die seine Mönche einbrachten, genauso besteuert wurde wie der Ertrag, den die Bauern erwirtschafteten. „Wenn du an einem Tag nicht arbeitest, hast du an einem andern Tag nichts zu essen. Nur wer heute arbeitet, darf morgen essen", war seine Philosophie.

In den *Keitoku dento roku* steht, Hyakujō habe seinem Schüler Obaku sein Dharma mit den folgenden Worten übertragen:

„Wenn die Einsicht des Schülers so tief ist wie die des Meisters, ist der Einfluß des Meisters nur noch halb so groß. Wenn die Einsicht des Schülers die des Meisters übertrifft, dann ist er würdig, die Übertragung des Dharma anzunehmen." Es heißt, als Hyakujō alt und gebrechlich war, versteckten seine Schüler das Arbeitsgerät vor ihm, damit er nicht aufs Feld hinausging und arbeitete. Daraufhin weigerte er sich so lange zu essen, bis man ihm sein Gerät zurückgab. Er starb mit 94, ohne einen Nachfolger bestimmt zu haben.

Seine Schriften *Hung-chou Pai-chang-shan Ta-chih-chan-shi yü-lu* und *Pai-chang kuan-lu* wurden von Thomas Cleary als *Sayings and doings of Pai-chang, Ch'an Master of Great Wisdom*, ins Englische übertragen.

ISAN REIYŪ
(chin. Kuei-shan Lin-yu, auch als Wei-shan Ling-yu bekannt)

771-853

Isan war Schüler und Dharma-Nachfolger von Hyakujō. Unter seinen eigenen Schülern waren auch Kyōzan und Kyōgen. Isan verließ sein Elternhaus mit fünfzehn, um Mönch zu werden. Er studierte bei einem Vinaya-Meister in der heutigen Provinz Fukien. Im Alter von 22 Jahren wurde er im Kloster Hangchow als Mönch initiiert. Er reiste nach Chiang-Si, wurde Hyakujōs Schüler und erlangte bei ihm tiefe Erleuchtung.

Er blieb noch zwanzig Jahre als *tenzo*, als Koch und Küchenmeister, im Kloster und wurde später von Hyakujō als Abt zum Kloster des Berges I gesandt.

Anfangs lebte er dort ganz alleine in einer kleinen Hütte, die er sich gebaut hatte, doch nach und nach kamen Schüler zu ihm. Schließlich wuchs die Zahl seiner Schüler auf über tausend an. Isan lehrte über vierzig Jahre lang auf dem Berg I, und es heißt, er habe mehr als 40 Dharma-Nachfolger gehabt. Seine Art zu lehren war sanft und geduldig. Er benutzte nicht den Stock und schrie seine Schüler auch nicht an, wie es andere Meister dieser Zeit gerne taten. Unter seiner Sanftmut verbarg sich jedoch ein kompromißloses und rebellisches Wesen.

Isan gründete mit seinem früheren Schüler Kyōzan eine neue Schule, die als Igyō-Schule bekannt wurde. Ihr Name leitete sich aus ihrer beiden Namen ab.

Es gab eine scharfe Trennung zwischen dem Zen der Meditation, dessen Grundlage das Lankavatra-Sutra war und dem „Zen des Augenblicks", das sich vollständig von dem Sutra löste. Das Lankavatra-Sutra lehrt im wesentlichen die Erleuchtung in Stufen, die „Schritt-für-Schritt"-Disziplin: Ganz allmählich schreitet man voran auf seinem Weg, und wenn die Zeit reif ist und man an der richtigen Stelle angekommen ist, ereignet sich die Erleuchtung.

Isan und Kyōzan jedoch hatten einen anderen Ansatz: Sie arbeiteten mit einer Anti-Sutra-Methode, die bereits von Baso befürwortet wurde. Diese Methode brachte große Veränderungen mit sich, denn sie betont, wie wichtig es ist, in der Gegenwart zu sein; Zeuge, Beobachter zu sein; Meditation ist das einzige, was übrigbleibt, weder Disziplin, noch Rituale, noch Anbetung sind nötig. Isans Todestag wird auf den 20. Februar 853 datiert. An diesem Tag nahm er ein rituelles Bad, setzte sich in Meditationshaltung, lächelte und starb – im Alter von 83 Jahren. Der Kaiser verlieh ihm nach seinen Tod den Titel Ta Yuan (Große Vollendung).

Einmal fragte ein Mönch Isan, ob es notwendig sei, daß man sein spirituelles Leben nach der Erleuchtung kultiviere. Isan sagte, das sei notwendig wegen der „Trägheit der Gewohnheit". Dann sagte er:

„Was du hörst, muß zunächst von deinem Verstand akzeptiert werden; wenn dein rationales Verstehen vertieft und auf eine unbeschreibliche Weise immer weiter verfeinert wird, wird dein Verstand ganz von alleine einsichtig und klar werden und nie wieder in den Zustand von Zweifel und Täuschung zurückfallen. Wie zahlreich und unterschiedlich die feinen Lehren auch sein mögen, du weißt ganz intuititv, wie du sie anwenden mußt – je nach Anlaß. „Nur auf diese Weise wirst du berechtigt sein, auf dem Stuhl des Meisters zu sitzen und dein Gewand als ein Meister der wahren Kunst des Lebens zu tragen. Um es zusammenzufassen: Es ist von äußerster Wichtigkeit zu wissen, daß die letztendliche Wirklichkeit oder das Fundament des Verstandes nicht die geringste Unreinheit verträgt, während in seinen unzähligen Möglichkeiten und Handlungswegen kein einziges Gesetz oder Ding außer acht gelassen wird."

Jimyō Zenji
(chin. Chi-ming), auch als Sekisō Soen bekannt (chin. Shih-shuang Ch'u-yüan)

986-1039

Ein chinesischer Meister der Rinzai-Linie des Zen, ein Schüler und Dharma-Nachfolger von Fun'yō Zenshō. Zu seinen Schülern gehörten neben anderen Yōgi Hōe und Ōryō E'nan. Mit 22 Jahren wurde Sekisō Mönch und lebte bei verschiedenen Meistern seiner Zeit. In seinem vergleichsweise kurzen Leben von 53 Jahren trug er viel dazu bei, das Rinzai-Zen zu verjüngen. Sein Schüler Yōgi Hōe wurde zum Begründer der Yōgi-Linie des Rinzai-Zen, nach seinem Schüler Ōryō wurde die zweite Linie des Rinzai-Zen benannt. Sekisō war ein Zeitgenosse von Setchō, dem Verfasser der Gedichte in den *Hekiganroku*.

Eines der Koan, mit denen Sekisō seine Schüler auf die Probe stellte, lautete: „Wie kannst du dich von der Spitze eines hundert Fuß hohen Mastes weiterbewegen?"

Jōshū Jushin
(chin. Chao-chou Ts'ung-shen)

778-897

Jōshū war ein Schüler und Dharma-Nachfolger von Nansen. Es heißt, er hatte 13 Nachfolger. Er war einer der großen Zen-Meister der späten Tang-Dynastie, doch einige Generationen nach ihm erlosch seine Zen-Linie. Jōshū wurde im Dorf Kakuin im heutigen Shantung geboren. Als kleiner Junge war er bereits in einer Tempelgemeinschaft in seinem Dorf. Mit achtzehn Jahren schloß er sich der Mönchsversammlung von Nansen an.

Es ist überliefert, daß er sehr bald seine Erleuchtung erfuhr und danach noch 40 Jahre lang bei seinem Meister Nansen blieb. Nachdem Nansen gestorben war, beschloß er, auf Pilgerschaft zu gehen und andere Meister seiner Zeit aufzusuchen. Es wird berichtet, daß er über 80 Dharma-Nachfolger von Baso zu jener Zeit besuchte. Mit 80 Jahren ließ er sich in einem kleinen Kloster in Chao-chou nieder, wo sich Schüler um ihn versammelten. Er starb mit 120 Jahren.

Die folgende Aufzeichnung erzählt von der ersten Begegnung Jōshūs mit Nansen: „Jōshū trat in das Zimmer des Meisters. Nansen lag auf seiner Ruhestätte, und seine erste Frage an Jōshū war: „Woher kommst du?“ „Vom Tempel Jui-hsiang“, antwortete Jōshū. (*Jui-hsiang* bedeutet ‘Heiliges Bild’) „Siehst du das heilige Bild noch?“ fragte Nansen. „Nein“, antwortete Jōshū. „Ich sehe nur den Tathagata ruhen.“ Da stand Nansen auf und fragte: „Bist du ein Mönch, der einen Meister hat, oder einer ohne Meister?“ „Ich bin *mit* einem Meister“, antwortete Jōshū. „Wer ist dein Meister?“ fragte Nansen. „Die ersten Frühlingstage sind kalt“, sagte Jōshū, „ich bin froh, daß du wohlauf bist.“ Nansen rief den Mönchsältesten und sagte: „Behandle ihn gut.“

Das bedeutete aber nicht etwa, daß er eine Sonderstellung unter den Mönchen bekam. Er arbeitete in der Küche und war für die Feuerstellen verantwortlich. Die folgende Geschichte zeigt, daß er jede Situation nutzte, um tiefere Einsicht in sich selbst zu bekommen: „Eines Tages verschloß er alle Türen und legte so viel Holz ins Feuer, bis die ganze Küche voller Rauch war. Dann schrie er: „Feuer! Feuer! Rettet mich!“ Als alle Mönche herbeigerannt waren, sagte er: „Ich mache die Tür erst auf, wenn ihr das richtige Wort sagt.“ Von den Mönchen kam keine Antwort.

Nansen aber schob schweigend den Schlüssel durch eine Fensterluke in die Küche. Dies war das richtige Wort, das Jōshū gemeint hatte, und er öffnete sofort die Tür.

Mit Nansen erlangte er tiefe Erleuchtung:
Jōshū fragte seinen Meister Nansen: „Der Weg – was ist das?"
Nansen sagte: „Es ist das tägliche Bewußtsein."
Jōshū fragte: „Dann sollte man danach streben, oder nicht?"
Nansen sagte: „Sobald du nach etwas strebst, fehlst du."
Jōshū sagte: „Wenn ich nicht danach strebe, wie kann ich dann den Weg wissen?"

Nansen sagte: „Der Weg hat nichts mit Wissen oder Nicht-Wissen zu tun. Wissen bedeutet, etwas begreifen, ohne zu erkennen. Nicht-Wissen ist nichts als ein freier, leerer Raum. Wenn du den Weg, der ohne Ziel ist, bereits erreicht hast, ist es wie das All: das absolute klare Nichts. Du kannst es nicht in die eine oder andere Richtung lenken." In diesem Augenblick überkam Jōshū das wahre Erwachen. Sein Geist war hell und klar wie der volle Mond.

Als er einmal nach den Grundlagen seiner Lehre gefragt wurde, sagte er: „Wenn es heiß ist, ist es heiß, und wenn es kalt ist, ist es kalt."

Obwohl er weder den Zen-Stock benutzte, noch seine Mönche anbrüllte, heißt es, daß seine scharfen Kommentare nicht weniger wirksam waren. „Aus Jōshūs Lippen fahren Blitze", sagten die Mönche.

Kakusan

Seine genauen Daten sind nicht bekannt.
Kakusan war ein Schüler von Kyōzan. Nach seiner Erleuchtung lebte er auf dem Berg Kaku, der ihm seinen Namen gab – Kakusan. Als er spürte, daß er sterben würde, ging er in den Wald, sammelte Feuerholz und schichtete es zu einem Stapel. Als es Mittag war, weigerte er sich zu essen und ging statt dessen hinaus und zündete das Holz an. Er stieg auf den Stapel hinauf, öffnete seinen Schirm und hielt ihn hoch als ob er mit ihm die Dämonen

bekämpften würde. So verbrannte er in den Flammen.

KASSAN (KAZAN) MUIN
(chin. Ho-shan Wu-yin)

Sein Geburtsdatum ist unbekannt, er starb 960. Kassan war Schüler und Dharma-Nachfolger von Kyūho Dōken, einem Schüler von Sekisō Keisho.

Als Kassan sieben Jahre alt war, trat er in das Kloster von Seppō ein. Nach Seppōs Tod wurde er, gerade 20jährig, Schüler von Sekisō. Im Pi-yen-lu lautet der 44. Fall: Kassan sagte: „Das Studium kultivieren wird 'lernen' genannt. Das Studium fallen lassen wird 'Annäherung' genannt. Über beides hinaus gehen wird als wahres Darüber-hinaus-Gehen betrachtet." Ein Mönch trat nach vorne und fragte: „Was ist wahres Darüber-hinaus-Gehen?" Kassan sagte: „Wissen, wie man die Trommel schlägt." Wieder fragte der Mönch: „Der Geist ist Buddha – danach frage ich nicht. Was ist nicht Geist und nicht Buddha?" Kassan sagte: „Wissen, wie man die Trommel schlägt." Wieder fragte der Mönch: „Wenn ein Mann kommt, der transzendiert hat, wie empfängst du ihn?" Kassan sagte: „Wissen, wie man die Trommel schlägt."

Es wird berichtet, daß seine letzten Worte an die Schüler lauteten:

Findet mich in den Spitzen
von hundert Gräsern
Erkennt den Prinzen
auf einem lauten Markt!

KINZAN BUNSUI
(chin. Ch'in-shan Wen-sui)

Kinzan lebte während der Tang-Dynastie in China. Er war ein Schüler und Dharma-Nachfolger von Tōzan. Im *Ching-te chuan-teng-lu* steht über ihn, daß er in jungen Jahren in ein Zen-Kloster eintrat und dann mit Gantō und Seppō auf Pilgerschaft ging und verschiedene Zen-Meister aufsuchte. Sie kamen schließlich bei Tokusan an, und Gantō und Seppō wurden seine bekanntesten Schüler und Dharma-Nachfolger. Kinzan verließ nach einiger Zeit Tokusans Kloster, weil er sich nicht an die sehr strenge Disziplin gewöhnen konnte – er wurde zum Beispiel so sehr geschlagen, daß er im Krankensaal liegen mußte. Schließlich begegnete er Tōzan und erlangte bei ihm die Erleuchtung.

Kinzan war an folgendem Dialog beteiligt: Kinzan, Gantō und Seppō übten sich im Zazen, als Tōzan mit dem Tee hereinkam. Kinzan schloß die Augen. Tōzan fragte: „Was machst du?" Kinzan antwortete: „Ich trete in Dhyana ein." Tōzan sagte: „Dhyana hat kein Tor; wie kannst du also eintreten?"

Kyōgen Chikan
(chin. Hsiang-yen Chih-hsien)

Geburtsjahr unbekannt, gestorben 898. Er war ein Schüler und Dharma-Nachfolger von Isan.

Kyōgen war ein Mit-Schüler Kyōzans. Er hatte schon bei Isans Meister Hyakujō studiert und setzte nach dessen Tod seine Studien bei Isan fort. Man sagt, daß er ein sehr gelehrter Mann war, der sich umfangreiches Wissen über die buddhistischen Schriften angeeignet hatte. Aber als er erkannte, daß ihm all sein Wissen nicht dabei half, sein innerstes Sein zu finden, verließ er Isan und ging nach Nan-yan. Dort lebte er zurückgezogen in einer Hütte im Wald. Er erfuhr seine Erleuchtung, als er eines Tages den Schlag eines Steins gegen einen Bambus vernahm. Danach verließ Kyōgen seine Einsiedelei und ging zu Isan zurück, der seine Erleuchtung bestätigte. Die Verse, die Kyōgen zu seiner Erleuchtung verfasste, lauten:

Ein Schlag, und alles ist vorbei,
kein Trick und keine Medizin sind nötig;
eine jede Handlung
drückt den Weg der Alten und Weisen aus.
Mein Geist ist niemals niedergeschlagen,
ich hinterlasse keine Spuren,

Erleuchtung ist jenseits von Sprache,
jenseits von Gesten;
die sich emanzipiert haben
nennen sie das Unübertroffene.

Zwischen Kyōgen und Kyōzan soll folgender Dialog stattgefunden haben:

Kyōzan war nicht sicher bezüglich der Gültigkeit von Kyōgens Erleuchtung und sagte, um ihn auf die Probe zu stellen: „Ich habe gehört, daß du Verse verfaßt hast, die deine Erleuchtung ausdrücken. Bitte trage sie mir vor, ich möchte sie gerne studieren." Kyōgen trug die Verse vor, und als er zu Ende gesprochen hatte, sagte er: „Wir wollen sie uns für die freie Zeit aufheben", und fuhr fort mit einem neuen Vers:

„Letztes Jahr war meine Armut
keine wirkliche Armut;
dieses Jahr ist meine Armut das Wahre.
Letztes Jahr gab es keinen Platz
um die Ahle zu schlagen;
dieses Jahr habe ich nicht einmal eine Ahle."

Als Kyōzan diesen Vers hörte, kommentierte er: „Was du erreicht hast, ist nur das Nyorai-Zen, nicht das Zen der Patriarchen."

Da verfasste Kyōgen noch einen Vers:

„Ich hatte eine innere Kraft,
die ich ihm darbiete.
Wenn er sie nicht versteht,
so möge er den Diener rufen!"

Da kommentierte Kyōzan: „Glücklicherweise hast du nun das Zen der Patriarchen erreicht." Mit diesem Satz bestätigte Kyōzan, daß Kyōgen nicht nur seine Buddha-Wesen entdeckt hatte, sondern ein wahrer Meister geworden war.

Kyōzan Ejaku
(chin. Yang-shan Hui-chi)
807-883 oder 813/14-890/91

Kyōzan war Schüler und Dharma-Nachfolger von Isan. Isan und Kyōzan begründeten zusammen eine neue Richtung im Zen, die als Igyō-Schule bekannt wurde. Als Kyōzan fünfzehn Jahre alt war, wollte er Mönch werden, aber seine Eltern erlaubten es ihm nicht.

Zwei Jahre später schnitt er sich zwei Finger seiner linken Hand ab und flehte seine Eltern an, ihm den spirituellen Weg nicht zu verwehren, und schließlich ließen sie ihn ziehen.

Bevor er zwanzig wurde, hatte er bei verschiedenen Meistern studiert, auch bei Baso und Hyakujō.

Es ist überliefert, daß Kyōzan, als er seinem Meister Isan begegnete, den Kopf senkte, weinte und sagte: „Mein früherer Lehrer sagte, wenn ich einen anderen Lehrer finde, würde ich die Erleuchtung erlangen. Heute habe ich ihn gefunden. Seit drei Jahren suche ich nun nach der Buddhaschaft und es war nicht mehr, als ob ich eine Kuh suchte."

Einmal, als Kyōzan still mit Isan saß, fragte er den Meister: „Wo lebt der wahre Buddha?" Isan antwortete: „Mit der Feinheit des gedankenlosen Gedankens betrachte die grenzenlose spirituelle Helligkeit. Betrachte sie solange, bis du zum Grund deines Seins zurückkehrst, der ewig bleibenden Natur und ihrer Form des unteilbaren Prinzips. Dies ist der wahre Buddha."

Als Kyōzan dies hörte, wurde er erleuchtet.

Einige Jahre vor seinem Tod verfaßte er folgende *gatha*:

Wenn meine Jahre
die siebenundsiebzig erreichen
werde ich mich verabschieden.
Ich werde es meiner Natur überlassen,
zu fließen oder zu sinken
wenn ich gehe und mit beiden Händen
meine verschränkten Knie umschließe.

Als er auf dem Tung-Ping-Berg starb, war er 77 Jahre alt und hielt seine Knie mit beiden Händen umfasst. Der Kaiser würdigte ihn posthum mit dem Titel 'Großmeister Chih Tung', was 'Weisheitsdurchdringung' bedeutet, und ließ auf seiner Stupa die Inschrift *Miao Kuang* eingravieren, 'wunderbares Licht'.

Mahakashyapa

auf Pali: Mahakassapa, auch in der Kurzform Kashyapa bekannt

Mahakashyapa wird als der Begründer des Zen angesehen. Er war ein Schüler Buddhas, und die Geschichte, wie Gautama Buddha ihm eine Blume gibt, ist berühmt geworden. Mahakashyapa war ein Brahmane aus Magada. Er zählt zu Buddhas zehn ersten Schülern.

Der Legende nach war zu seiner Geburt das Zimmer mit goldenem Licht erfüllt. Das Licht strömte in seinen Mund hinein, und das Kind bekam den Namen Mahakashyapa, das bedeutet lichtschluckend.

Mahakashyapa war älter als Buddha, und bevor sie einander begegneten, war er bereits ein gelehrter Brahmane und unterrichtete viele Studenten. Außerdem soll er ein wahrer Asket gewesen sein und immer eine sehr strenge Disziplin befolgt haben. Er wurde Buddhas Dharma-Nachfolger und der Erste Patriarch.

Osho kommentiert: „Zen ist das höchste Erblühen des Bewußtseins.

Es begann damit, daß Gautama Buddha Mahakashyapa eine Lotusblüte gab. Zu den versammelten Sannyasins sagte er: „Alles, was ich mit Worten ausdrücken konnte, habe ich euch gesagt. Alles, was ich nicht in Sprache umsetzen konnte, übergebe ich an Mahakashyapa.“ Mit diesen Worten überreichte er Mahakashyapa, für alle sichtbar, die Lotusblüte. Für die Anwesenden unsichtbar übertrug er auf diese Weise seine nicht in Worte gekleidete Erfahrung an Mahakashyapa. Mahakashyapa war der erste Zen-Meister.

Mayoku Hōtetsu

(chin. Ma-ku Pao-che, auch: Ma-yü Pao-che)

Seine genauen Daten sind nicht bekannt, aber er lebte während der T'ang-Dynastie.

Mayoku war ein Schüler und Dharma-Nachfolger von Baso.

Das *Chin Te Ch'uan Teng Lu* schildert folgende Geschichte:

Als Mayoku mit Tanka in den Bergen wanderte, sah er in einem Fluß einen Fisch schwimmen und zeigte auf ihn. Tanka sagte: „Natürlich, natürlich."

Am nächsten Tag fragte Mayoku Tanka: „Was hast du gestern damit gemeint?" Tanka machte eine Bewegung, als ob er sich entspannt hinlegen wollte. Mayoku sagte: „Himmel."

Ein anderes Mal machte er mit Tanka eine Reise zum Berg Ma Ku. Mayoku sagte: „Ich bleibe hier." Tanka sagte: „Ich würde dich ja hier zurück lassen, aber hast du immer noch Jenes Eine oder nicht?" Mayoku sagte ihm Lebewohl.

Nan'in Egyō
(chin. Nan-yüan Hui-yung, auch als Pao-ying Ho-shang oder Hoo Osho bekannt)

Sein Geburtsjahr ist nicht bekannt, er starb vermutlich im Jahr 930. Nan'in war Schüler und Dharma-Nachfolger von Kōke Zonshō. Unter seinen Schülern war Fuketsu Enshō, der sein einziger Nachfolger wurde.

Von ihm ist nur wenig überliefert: einige Vorträge und Dialoge mit Schülern, die im *Chin Te Ch'uan Teng Lu* dokumentiert sind.

Nansen Fugan
(chin. Nan-ch'üan Pu-yüan)

748-835

Er war ein Schüler und Dharma-Nachfolger von Baso. Er soll 17 Dharma-Nachfolger gehabt haben, unter ihnen Jōshū und Chōsha.

Nansen wurde in Shintei in Teishu, dem heutigen Hunan geboren, und sein weltlicher Name war Wang. Im Alter bezeichnete er sich selbst oft als „Alter Lehrer Wang". Er begann bereits als Junge mit dem Studium der Meditation und wurde mit 30 buddhistischer Priester. In den darauffolgenden

Jahren erforschte er Texte der Vinaya-Schule, beschäftigte sich mit den Alten Sutras und der Sanron-Schule, die auf Nagarjuna und seine Schüler zurückführte. Er reiste zu verschiedenen bekannten Klöstern, und als er in Chiang-si ankam, wo Baso lebte, wurde Nansen einer seiner ersten Schüler.

Nach seiner Erleuchtung im Jahr 795 verließ er Baso und gründete seine eigene Gemeinschaft auf dem Berg Nansen in der heutigen Anhwei-Provinz. Dort versammelten sich Tausende von Suchern um ihn.

Nansen betonte immer, daß das Weltliche und das Heilige eine Einheit bildeten und miteinander verbunden seien wie Himmel und Erde. Sie seien nur zwei Aspekte derselben Realität.

Nansen war berühmt für seine geistreichen und scheinbar paradoxen Aussagen. Zum Beispiel widersprach er scheinbar seinem Meister Baso, als er sagte „Der Geist ist nicht der Buddha. Wissen ist nicht der Weg." – als Fall 34 im *Wumenkan* aufgeführt. Einer von Nansens berühmtesten Schülern war Lu Hsuan, der später unter dem Namen Rikuko Taifu (Riku-ko Taifu) bekannt wurde. Er war der Gouverneur der Gebietes Hsüan-cheng. Nansen hatte dreißig Jahre lang in der Abgeschiedenheit seines Berges gelebt, ohne ihn jemals zu verlassen. Als der Gouverneur ihn bat, ins Tal herunterzukommen und die Menschen, die dort lebten, im Zen zu unterrichten, stimmte Nansen schließlich zu. Von da an wurde er ein bekannter Meister und Lehrer. Ein Koan von Nansen ist das vierzigste Beispiel des *Pi-yen-lu*:

„Der Gouverneur befragte Nansen einmal zu der Aussage, daß alle Dinge aus derselben Quelle kommen und es deshalb kein Richtig und kein Falsch geben könne. Nansen zeigte auf eine Stelle im Garten, die mit Pfingstrosen bepflanzt war und sagte: „Gouverneur, wenn die Menschen des heutigen Tages diese Blüten sehen, ist es, als ob sie sie in einem Traum sehen."

Der Gouverneur hat eine grundsätzliche Frage gestellt: Wenn es nur eine Quelle gibt, wie kann es dann Richtig und Falsch geben? Nansen antwortet ihm auf indirekte Weise. Er sagt, daß die Menschen normalerweise tief schlafen, selbst wenn sie wach sind. Sie laufen herum, als ob sie schlafwandeln würden. Sie blicken aus ihrem Traum heraus auf die Welt und schaffen sich aus diesem Zustand ihre Regeln und Gesetze. Wenn sie sich die Welt mit frischem Blick, mit offenen Augen, völlig wach anschauen würden, könnten sie sehen, daß alle Dinge eins sind, daß es keine Gegensätze gibt, keine Widersprüche, sondern nur eine unermeßlich große kosmische Existenz.

Nansens Worte und Lehren sind in der Sammlung *Ch'ih-chou Nan-ch'üan Pu-yüan-ch'an-shih kuang-lu* zusammengetragen *(The Great Collection of the words of Zen master Nan-chüan Pu-yüan from Chih-chou).*

Nan'yō Echu
(chin. Nan-yang Hui-chung, besser bekannt als Chu Kokushi)
675?-775?

Er war Schüler und Dharma-Nachfolger von Enō. Es wird berichtet, daß er als Kind nicht sprach, bis er sechzehn war und niemals die Brücke überquerte, die sein Elternhaus mit der Straße verband. Eines Tages sah er einen Zen-Meister die Straße entlanggehen. Da rannte er über die Brücke und bat ihn, Mönch werden zu können. Der Meister schickte ihn in das Kloster des Sechsten Patriarchen Enō, und er wurde dessen Schüler.

Später ging Nan'yō in die Berge, um dort als Einsiedler zu leben. Vierzig Jahre lang lebte er auf dem Berg Po-ai-shan in Nan-yang.

Als er 85 Jahre alt war, sandte der Kaiser Su-tsung nach ihm, und widerstrebend kam er von seinem Berg herunter und unterrichtete Su-tsung und seinen späteren Nachfolger Tai-tsung. Der Ehrentitel Nationallehrer Chung wurde ihm verliehen. In der Zen-Literatur wird er meist unter dem Namen Chu Kokushi aufgeführt, dem Titel, den der Kaiser ihm verliehen hatte.

Bevor Chū Kokushi starb, fragte ihn der Kaiser: „Wenn du hundert Jahre alt bist, was kann ich für dich tun?“ Kokushi antwortete: „Mache eine Pagode ohne Naht für diesen alten Mönch.“ Der Kaiser sagte: „Ich würde gerne wissen, in welchem Stil sie sein soll.“ Kokushi blieb eine Weile still und sagte dann: „Verstehst du?“ „Nein“, sagte der Kaiser. „Ich habe einen Schüler namens Tangen“, sagte Kokushi. „Ihm habe ich das Dharma-Siegel übergeben. Er ist in dieser Angelegenheit sehr bewandert. Frage bitte ihn.“ Nach Kokushis Tod schickte der Kaiser nach Tangen und befragte ihn. Tangen sagte: „Südlich von Sho und nördlich von Tan, dazwischen ist Gold im Überfluß vorhanden. Das Fährboot unter dem schattenlosen Baum, siehst du keinen Heiligen im smaragdenen Palast.“ Er starb, auf der rechten Seite liegend. Seine Schüler bauten zu seinem Gedächtnis einen Turm.

Osho

Die Inschrift auf der Marmorplatte in seinem Samadhi lautet: *Nie geboren, nie gestorben, nur ein Besucher dieses Planeten Erde vom 11. Dezember 1931 bis 19. Januar 1990.*

Er hat keinen Meister und bezeichnet seine Zehntausende von Schülern aus der ganzen Welt als „Weggefährten“.

Er sagt: „Ich bin der Anfang eines völlig neuen religiösen Bewußtseins.“ Seinen Namen „Osho“ erklärt er als eine Ableitung von William James' Begriff 'oceanic', was soviel bedeutet wie 'sich im Ozean auflösen'.

Er sagt: „'Oceanic' beschreibt die Erfahrung, aber was ist mit dem, der sie erfährt? Dafür verwenden wir den Begriff 'Osho'. Traditionell wurde der Name 'Osho' als ein Ausdruck der Ehrerbietung benutzt und bedeutete 'Der Gesegnete, auf den der Himmel Blumen regnet'.“

Kurz bevor er seinen Körper verließ, trug er seinen Schülern auf, von ihm nur in der Gegenwart zu sprechen, um damit auszudrücken, daß im Sein, in diesem Sein nur *dies* existiert – keine Vergangenheit, keine Zukunft, nur das Hier und Jetzt.

Er ist einer der rebellischsten Meister der jüngeren Geschichte. Er hat das Zen sozusagen nach Indien zurückgebracht. Die *Sunday Times* zählt ihn zu den 1000 Menschen, die das 20. Jahrhundert prägten, und die *Sunday Mid-Day (Indien)* führt ihn neben Gandhi, Nehru und Buddha als einen der wenigen Menschen auf, die die Entwicklung Indiens ganz wesentlich beeinflußt haben. Sein spirituelles Zentrum in Pune, Indien wächst und gedeiht. Es ist eines der größten Meditationszentren der Welt, das sich ständig vergrößert, obwohl Osho körperlich nicht mehr anwesend ist.

Osho war schon als Kind ein Rebell, der die Wahrheit wissen wollte und nicht einfach akzeptierte, was andere ihm weismachen wollten. Er bewies viel Mut und experimentierte bereits in seiner Kindheit und Jugend mit den verschiedensten Meditationstechniken.

Nach seiner Erleuchtung mit 21 Jahren beendete er sein Studium und lehrte viele Jahre Philosophie an der Universität von Jabalpur. Auf seinen zahlreichen Reisen durch ganz Indien hielt er Vorträge und provozierte die Anhänger aller konventionellen Glaubensrichtungen. Er war ein leidenschaftlicher Leser. Seine Bibliothek, die in Pune aufbewahrt wird, enthält an die 70 000 Bücher, davon tragen die meisten seine persönlichen Vermerke.

In den späten Sechziger Jahren begann er, spezielle Meditationstechniken für den modernen Menschen zu entwickeln, dem es schwerfällt, einfach nur stillzusitzen.

„Der moderne Mensch“, sagt er, „ist so belastet von alten Regeln und Traditionen der Vergangenheit und von den Ängsten, die der moderne Alltag mit sich bringt, daß er erst einen tiefen Reinigungsprozeß durchlaufen muß, bevor er darauf hoffen kann, den gedankenlosen, entspannten Zustand der Meditation zu entdecken.“

Osho vermittelte vor allem eine Religiosität, in der das Feiern und Tanzen im Mittelpunkt standen. Inmitten eines tiefschürfenden Kommentars zu einer alten Schrift oder während er aktuelle Fragen seiner Schüler beantwortete, erzählte er plötzlich einen Witz – und das Lachen über die Witze hat schon viele Schüler wachgerüttelt, sei es aus tiefer Meditation oder aus tiefem Schlaf!

Osho hat Schriften aller Traditionen und Religionen kommentiert, und seine Vorträge wurden in der ganzen Welt veröffentlicht.

Allein in englischer Sprache sind über 250 Buchtitel unter seinem Namen verzeichnet, davon über 50 über Zen und über den Zen-Buddhismus.

Ryūge Koton
(chin. Lung-ya Chü-tun)

834/35-920/23

Er war ein Schüler und Dharma-Nachfolger von Tōzan. Er hatte fünf Nachfolger.

Er trat bereits als Junge in ein Kloster in seiner Heimatstadt Kiangsi ein. Später pilgerte er durch das Land, um die bekannten Zen-Meister seiner Zeit aufzusuchen, unter ihnen auch Suibi und Tokusan. Schließlich begegnete er Tōzan und wurde dessen Schüler.

Einmal wurde Ryūge von einem Mönch gefragt: „Was bedeutet es, daß Bodhidharma aus dem Westen kam?“ Ryūge sagte: „Warte bis die Steinschildkröte Worte der Erklärung spricht, dann sage ich es dir.“ Der Mönch sagte: „Die Steinschildkröte hat gesprochen.“ Ryūge sagte: „Was hat sie dir gesagt?“ Der Mönch sagte nichts.

Sanshō Enen
(chin. San-sheng Hui-jan)

Sanshō lebte im 9. Jahrhundert.

Sanshō war einer der hervorragendsten Schüler von Rinzai. Er stellte die *Rinzai-roku* zusammen, die Sammlung von Rinzais Schriften und Vorträgen.

Nachdem Sanshō Rinzai verlassen hatte, pilgerte er zu verschiedenen Zen-Meistern seiner Zeit.

Eines Tages kam er zu Kyōgen. Kyōgen fragte ihn: „Woher kommst du?“ Sanshō sagte: „Von Rinzai.“ Kyōgen fragte: „Hast du Rinzais Schwert mitgebracht?“ Noch bevor er zu Ende gesprochen hatte, nahm Sanshō ein Kissen und schlug Kyōgen damit. Kyōgen sagte nichts und lächelte.

Sekishitsu Soshu
(chin. Shih-shi Tsuhsiu)

Die genauen Daten sind unbekannt, er lebte im 12. Jahrhundert.

Sekishitsu war ein Schüler von Chōshi. Bei einem Besuch bei Sekitō wurde der Mönch Sekishitsu erleuchtet. Nach seiner Erleuchtung ging er zurück zu seinem Meister Chōshi.

Auch Choshi war Sekitōs Schüler gewesen. Chōshi sagte: „Hast du Sekitō erreicht?“ Sekishitsu antwortete: „Ja, ich habe ihn erreicht, wurde ihm aber nicht vorgestellt.“ Chōshi fragte: „Von wem hast du Unterweisungen bekommen?“ Sekishitsu sagte: „Nicht von ihm.“ Chōshi sagte: „Wenn du dort so warst, wie wirst du hier sein?“ Sekishitsu sagte: „Nicht sehr viel anders.“ Chōshi sagte: „Das ist zu viel.“ Sekishitsu sagte: „Meine Zunge hat noch keine Farbe.“ Chōshi antwortete: „Du lärmender Novize – gehe fort!“ und Sekishitsu ging.

Sekitō Kisen
(chin. Shih-t'ou Hsi-ch'ien)

700-790

Sekitō war Schüler und Dharma-Nachfolger von Seigen. Unter seinen Schülern waren Yakusan, Teno Dogo und Tanka Tennen.

Er war ein Zeitgenosse von Baso. Baso schloß sich der Rinzai-Tradition des chinesischen Zen an, und Sekitō war einer der Meister der Sōtō-Linie.

Sekitō wurde in Koyo in Tanshu geboren, dem heutigen Kwangtung. Es ist überliefert, daß er ein außergewöhnlich intelligentes Kind war. Im Alter von ungefähr 12 Jahren suchte er den Meister Enō auf, der nicht weit von seinem Elternhaus lebte. Enō behielt ihn bei sich und gab ihm Unterweisungen. Als Enō ein Jahr später starb, war auch Sekitō dabei, als einige von Enōs Schülern an seinem Sterbebett saßen. Über die darauffolgenden Jahre seines Lebens ist wenig bekannt. Um 728 suchte er Seigen auf, einen Nachfolger Enōs. Das *Keitoku dento roku* dokumentiert, daß Seigen nach dem ersten Zusammentreffen mit Sekitō über seinen neuen Schüler sagte: „Ich habe viele gehörnte Tiere in meinem Stall, und nun auch noch ein Einhorn. Eines reicht."

Als Seigen starb, ging Sekitō zum Berg Nangaku. Er fand einen sehr großen flachen Fels und baute darauf eine Hütte. Von da an wurde er auch als „Steinkopf", bezeichnet, und als er später ein Meister war, nannte man ihn auch „Steinkopf Oshō".

Sekitō erfuhr seine Erleuchtung, während er das *Chaolun* las, ein Werk, das Sengchao im Jahr 400 geschrieben hatte. Sengchao schrieb dieses Buch, als er im Gefängnis saß und darauf wartete, daß sein Todesurteil vollstreckt wurde. Die Stelle, die Sekitōs Erleuchtung bewirkte, lautete: „Er, der sich selbst zu allen Dingen des Universums macht, ist nicht er der wahre Heilige?"

Sekitō schrieb, inspiriert vom *Chaolun*, ein Buch mit dem Titel „Sandokai".

Als der Meister Nagaku hörte, daß Sekitō auf einem Fels lebte, sandte er einen Mönch zu Sekitō, der ihm eine Frage stellen sollte. Als der Mönch bei Sekitō ankam, fragte er ihn: „Was ist Befreiung?" Sekitō sagte: „Was hat dich gebunden?" Der Mönch fragte: „Was ist das Reine Land?" Sekitō antwortete: „Was hat dich beschmutzt?" Der Mönch fragte: „Was ist Nirvana?" „Wer hat dir Geburt und Tod gegeben?" antwortete Sekitō.

Der Mönch ging zu Nagaku zurück und berichtete Sekitōs Antworten. Nagaku legte die Hände zusammen und berührte seine Füße. Damals wurden Kengo, Ran und Nagaku als die drei Meister im Land angesehen, doch nun sagten alle drei: „Vom Steinkopf dringt das Gebrüll eines Löwen an mein Ohr.“

Im Jahr 764 ging er auf die Bitte einiger seiner Schüler nach Liang-tuan, in die Nähe des heutigen Chang-sha, um dort zu lehren. Es ist nicht bekannt, wann er zu Nagaku zurückkehrte, doch er starb dort im Alter von 90 Jahren.

Seppō Gison
(chin. Hsüeh-feng I-tsun)

822-908

Seppō war Schüler und Dharma-Nachfolger von Tokusan. Er soll über 50 erleuchtete Schüler gehabt haben, zu den bekanntesten zählen Gensha und Ummon.

Seit Seppō neun Jahre alt war, wollte er Mönch werden, aber seine Eltern waren dagegen. Als er zwölf war, besuchte er das Kloster Yu-chien in der Provinz Putien. Als er den Vinaya-Lehrer des Klosters sah, sagte er sofort: „Dies ist mein Meister“ und blieb im Kloster. Nachdem er Mönch geworden war, ging er auf Pilgerschaft und besuchte viele Meister seiner Zeit. Schließlich begegnete er Tokusan und blieb bei ihm als *tenzo*, Koch und Küchenmeister. Ein weiterer Schüler Tokusans war Gantō. Beide unterstützten Seppō auf der Suche nach seinem wahren Selbst. Er erlangte die Erleuchtung im Alter von 45 Jahren.

Seppō sprach einmal von einem Erlebnis, das zu seinem Erwachen beigetragen hatte:

„Als ich Meister Tokusan fragte, ob ich die Erfahrung der alten Meister auch machen könnte, schlug er nach mir und ich fühlte mich wie ein Eimer, dem der Boden gerade herausgefallen war. Gantō rief warnend: „Ho!“ und fragte: „Weißt du denn nicht, daß das, was von außen kommt, nicht so gut ist, wie das, was innen entsteht? Wenn du deine Erfahrung des ch’an oder Zen oder Dhyan offenbaren würdest, würde alles, was du sagst oder tust direkt aus dem Zentrum deines innersten Seins herausfließen und dabei gleichzeitig das ganze Universum umarmen und durchdringen."

Als Seppō dies hörte, wurde er plötzlich erleuchtet und verbeugte sich in tiefer Dankbarkeit vor Gantō.

SHIKO RISHŌ
(chin. Tzu-hu-Li-tsung)
um 800-880
Shiko war ein Schüler und Dharma-Nachfolger von Nansen. Über ihn wird erzählt, daß er vor dem Tor ein Schild angebracht hatte, auf dem stand: „Shiko hat einen Hund; oben holt er sich die Köpfe; in der Mitte nimmt er sich die Lenden; unten verbeißt er sich in die Beine. Wenn du anhältst und mit ihm reden willst, wirst du Leib und Seele verlieren." Immer wenn er jemanden kommen sah, rief er: „Vorsicht! Der Hund!" Während der Besucher sich umdrehte, verschwand er schnell im Haus.

SUIBI MUGAKU
(chin. Ts'ui-wei Wu-hsüeh)
Suibi lebte im 9. Jahrhundert.
Er war ein Schüler und Dharma-Nachfolger von Tanka Tennen und unter seinen fünf Dharma-Nachfolgern war Tōsu Daidō.

Über ihn ist nicht viel bekannt. Er soll ein Mann gewesen sein, der frei von allen Konventionen war und an Wissen kein Interesse hatte. Der Kaiser Hsi Tung, der von 874 bis 889 regierte, berief ihn als Lehrer und verlieh ihm den Titel *Großer Meister, der überall seinen Glanz verbreitet.* Die folgende Geschichte über ihn ist aufgezeichnet: Suibi fragte Tanka: „Wer war der Lehrer aller Buddhas?" Tanka sagte zu Suibi: „Du solltest dich besser nicht so ernst nehmen! Nimm den Bodenlappen und putze weiter." Suibi ging drei Schritte nach hinten. „Fehler!" schrie Tanka. Suibi machte daraufhin drei Schritte nach vorne. „Noch ein Fehler!" rief Tanka. Suibi hob ein Bein hoch und drehte sich auf dem anderen. Tanka sagte daraufhin: „Du hast es; du hast den anderen Lehrer aller Buddhas die Stirn geboten."

Suigan Reisan
(chin. Ts'ui-yen Ling-ts'an)

Seine genauen Daten sind unbekannt, wahrscheinlich lebte er zur Zeit der Fünf Dynastien (907-960). Suigan wurde in Koshu, im heutigen Chekiang geboren. Er war Schüler und Dharma-Nachfolger von Seppō. Weder von Suigan noch von seinen beiden Dharma-Nachfolgern ist viel bekannt.

Nachdem er verschiedene Zen-Klöster besucht hatte, begegnete er Seppō und wurde sein Schüler. Er verließ Seppō nach seiner Erleuchtung und lebte ungefähr dreißig Jahre lang auf dem Berg Suiganzan im heutigen Chekiang. Dann lud der König von Go-Etsu ihn ein, sich in einem Tempel in der Hauptstadt von Go-Etsu niederzulassen, wo er den Rest seines Lebens verbrachte. Im *Pi-yen-lu* wird ihm die folgende Geschichte zugeschrieben: Meister Suigan erklärte zum Ende der Sommervorträge: „Ich habe gesprochen, Ost und West, den ganzen Sommer lang, für meine Bruderschaft. Schaut, ob meine Augenbrauen noch wachsen." Einer seiner Schüler sagte: „Wie schön sie wachsen, oh Meister." Ein anderer sagte: „Einer, der einen Diebstahl begeht, fühlt sich nicht wohl in seiner Haut." Ein Dritter sagte nichts und rief nur: „Kwatz!"

Tōzan Ryōkai
(chin. Tung-shan Liang-chieh)

807-869

Tōzan war ein Schüler und Dharma-Nachfolger von Ungan Donjō, und unter seinen Schülern waren Sōzan Honjaku, E'shū Kempō und Ungo Dōyō.

Er wurde in Kaikei in der heutigen Provinz Chekiang geboren. Schon als Junge studierte er den Vinaya-Buddhismus in einem Tempel der Provinz. Als er eines Tages seinen Meister über die Bedeutung einer Zeile im Herz-Sutra fragte, konnte sein Meister sie ihm nicht erklären. Tōzan ging fort und begab sich auf Pilgerschaft, um einen Meister zu finden, der ihm seine Fragen beantworten konnte.

Mit 21 Jahren wurde er Mönch und besuchte die großen Meister seiner Zeit. Erst ging er zu Reimoku Zenji, einem Nachfolger Basos, später kam er zu Nansen und blieb eine Weile bei ihm. Dann ging er zu Isan, der ihm vorschlug, zu Ungan zu gehen. Schließlich begegnete er Ungan, bei dem er seine Erleuchtung erlangte.

Er war der Begründer der Sōtō-Schule des Zen. Der Name dieser Schule soll entweder von den ersten beiden Silben von Tōzan Namen und dem Namen eines Schülers herstammen, oder aber die erste Silbe bezieht sich auf Sokei, bei dem der Sechste Patriarch während seiner Lehrzeit lebte, und verweist so auf eine direkte Linie in der Lehre.

Es gibt eine schöne Geschichte über Tōzan, die Osho erzählte: „Die Geschichte geht so: Die Götter wollten Tōzan sehen, aber sie konnten ihn nicht sehen, weil er nur noch Leere war. Also drangen sie erst von der einen, dann von der anderen Seite in ihn ein, drangen durch ihn hindurch, aber nirgendwo war er zu finden. Er war eine Nirgendwoheit, ein Nicht-Sein … so leer von sich selbst, daß man ihn nicht sehen konnte. Aber da die Götter sehr neugierig darauf waren, einen Mann zu sehen, der leer geworden war, spielten sie ihm einen Streich:

Sie gingen in die Küche, als Tōzan gerade von seinem Morgenspaziergang hereinkam, nahmen ein paar Handvoll Weizen und Reis und warfen sie ihm in den Weg. In einem Zen-Kloster ist das eine richtige Sünde, weil es gegenüber dem Weizen und dem Reis sehr respektlos ist. Alles soll respektiert werden, weil alles göttlich ist. Das hat nichts mit ordinärem Sparen zu tun, und nichts mit der Ideologie Gandhis – diese Art von Ideologie ist nichts anderes als rationalisierter Geiz. Darum geht es hier nicht. Es ist Respekt gegenüber allem. Alles, was existiert und existiert hat, ist göttlich und soll respektiert werden.

Also, in einem Zen-Kloster wird nichts weggeworfen; jeder soll sorgsam und wach mit den Dingen umgehen. Die Götter spielten ihm also einen Streich und warfen ein paar Handvoll Reis und Weizen auf seinen Weg. Als Tōzan kam, konnte er nicht glauben, daß ein Schüler das getan haben könnte. Wer könnte das getan haben? Wer könnte so achtlos und respektlos sein?

Diese Gedanken stiegen in ihm auf, und plötzlich war ein Selbst da und die Götter konnten ihn sehen. Die Leere war nicht mehr leer. Plötzlich hatte sich eine Vorstellung in ihm gebildet; eine Meinung, eine Idee. Einen Augenblick lang erschien eine Wolke am blauen Himmel, und die Götter konnten diesen Mann, Tōzan, sehen. Dann verschwand die Wolke wieder, weil die Gedanken wieder verschwanden."

Als Tōzan starb, sagte ein Mönch zu ihm: „Meister, deine vier Elemente sind nicht in Harmonie miteinander, aber gibt es jemanden, der niemals krank ist?" „Es gibt jemanden", sagte Tōzan. „Schaut derjenige dich an?" fragte der Mönch. „Es ist meine Aufgabe, ihn anzuschauen", antwortete Tōzan. „Und wie ist es, wenn du selbst ihn anschaust?" fragte der Mönch. „In dem Augenblick sehe ich keine Krankheit", antwortete Tōzan.

Tōzan Shusho
(chin. Tung-shan Shou-chu)

910-990

Tōzan war ein Schüler Ummons und wurde ein Meister in der Rinzai-Tradition.

Er lebte auf einem Berg im Norden der Provinz Hupeh, kam jedoch ursprünglich aus Shensi im Nordwesten Chinas. Über ihn ist nicht sehr viel bekannt. Angetrieben von seinem Verlangen, die Wahrheit zu finden, ging er zu Fuß von der Provinz Kwantung im Südosten Chinas zu Ummon. Das war eine Entfernung von ungefähr 2000 Kilometern; ein mutiges und gewagtes Unterfangen zu jener Zeit. Es zeigt, mit welcher Geradlinigkeit und Zielstrebigkeit er seiner Suche nachging. Seine nur aus einem Wort bestehende Antwort auf die Frage eines Mönchs „Was ist ein Buddha?“ ist berühmt:

Der Meister Tōzan wog Flachs im Vorratsraum. Ein Mönch kam zu ihm und fragte: „Was ist ein Buddha?“ Tōzan sagte: „Drei Pfund Flachs (auf japanisch: Masagin!)“

Ummon Bun'en
(Chinesisch: Yü-men Wen-yen, auch Kuang-chen genannt)

864-949

Ummon war ein Schüler und Dharma-Nachfolger von Seppō. Ummon hatte über sechzig Dharma-Nachfolger, unter ihnen Kyōrin, Tōzan und Haryō. Ummon war bekannt für die strenge Disziplin bei der Arbeit mit seinen Schülern. Sie war sein charakteristisches Merkmal, das er von seinem Meister Bokusho übernommen hatte, bei dem er seine Erleuchtung erlebte.

Man sagt von Bokusho, daß er die Tür zu seinem Zimmer stets geschlossen hielt und daß er an den Schritten der Mönche hörte, welcher von ihnen die nötige Reife für die Begegnung mit dem Meister besaß. Sobald der Schüler die Tür aufmachte, packte er ihn am Revers und schrie „Drücke es aus!“ Wenn der Schüler auch nur den geringsten Moment zögerte, wurde er sofort wieder hinausgeworfen. Ummon war das zweimal passiert. Als er das dritte Mal an die Tür des Meisters klopfte, geschah wieder das gleiche, wieder die Frage „Drücke es aus! Drücke es aus!“ Als Ummon mit der Antwort zögerte, warf Bokushu ihn hinaus und schlug die Tür zu. Dieses Mal verfing sich jedoch Ummons Bein in der Tür und brach. Er schrie „Autsch!“, und in diesem Augenblick erlangte er tiefe Erleuchtung…

Später, als Bokusho schon fast hundert Jahre alt war, gab er Ummon den Rat, zu Seppō zu gehen.

Er blieb viele Jahre bei Seppō und wurde einer seiner Dharma-Nachfolger.

Er sollte einer der meist respektierten Zen-Meister seiner Zeit werden. Er benutzte Koans in seiner Lehre, und seine Worte sind in allen wichtigen Sammlungen von Meister-Schüler-Dialogen zu finden.

Nach dem sechsten Patriarchen Enō teilte sich Zen in 5 Stammbäume: Sōtō, Rinzai, Hōgen, Igyō und Ummon. Ummon ist der Begründer der gleichnamigen Schule. Er war ein Meister des Wortes, und es geschah oft, daß ein einziges Wort von ihm eine Frage so treffend beantwortete und für den Fragesteller so ergreifend war, daß viele Menschen tiefe Einsichten erlangten, wenn sie nur ein Wort von ihm hörten. Diese Methode wurde als Ummons „Ein-Wort-Schranken" bekannt.

Ein Mönch fragte Ummon: „Was sind die Aktivitäten eines Budhhas?" Ummon antwortete: „Ich habe nicht die leiseste Ahnung." Da sagte der Mönch: „Warum hast du keine Ahnung?" Ummon antwortete: „Ich möchte einfach meine Nicht-Ahnung behalten."

In Nicht-Ahnung, in Nicht-Wissen liegt die Wahrheit. Die Wahrheit kann niemals durch Wissen gelernt werden. Man kann sich das Leben nicht anlernen, man muß es leben.

Ungan Dōnjō
(chin. Yün-yen T'an-sheng)

Sein Geburtsjahr war wahrscheinlich 781 oder 782, er starb 841.
Ungan war Schüler und Dharma-Nachfolger von Yakusan. Tōzan war einer seiner Schüler.

Ungan verließ noch als Kind sein Elternhaus und trat in das Kloster von Hyakujō ein, einem der Nachfolger von Baso. Er diente Hyakujō fast zwanzig Jahre lang. Später verließ er Hyakujō und ging zu Yakusan, durch den er seine Erleuchtung erfuhr. Über Dōgō, Ungan und Yakusan wird folgende Geschichte erzählt:

Ungans älterer Bruder Dōgō, kam als Mönch zu Ungan, als er 46 Jahre alt war. Er hatte bei Meister Nehan studiert, einem Schüler von Ma Tzu, und war dann zu Yakusan gegangen. Nun lud er seinen Bruder ein, ebenfalls zu Yakusan zu kommen und in dessen Kloster zu leben.

Ungan erwartete, daß Hyakujō ihn nicht gehen lassen würde, aber Hyakujō sagte: „Das ist recht so. Ein altes Sprichwort sagt 'Die Eltern gebären mich, Freunde gebären mich auch'."

Ungan lebte ein paar Jahre bei Yakusan und sagte dann: „Nun würde ich gerne wieder zu meinem alten Meister zurückkehren." Yakusan war einverstanden, und Ungan machte sich auf den Weg den Berg hinunter. Dōgō begleitete ihn ein Stück und kehrte dann zu Yakusan zurück. Der fragte ihn: „Hast du deinen Bruder verabschiedet?" „Ja", sagte Dōgō und fügte hinzu: „War es richtig, daß mein Bruder von dir fortgegangen ist?"

„Solch eine Frage darfst du nicht stellen", sagte Yakusan. „Wir waren solch eine lange Zeit so vertraut miteinander – wir können sagen oder tun, was immer wir wollen." „Nein, Osho", sagte Dōgō mit tiefer Liebe und Dankbarkeit. „Dein Wort kann ein Hinweis für die Zukunft sein, deshalb sage bitte etwas dazu."

„Gut, ich sage eines", antwortete Yakusan. „Die Augen sind in Ordnung – nur die Disziplin fehlt." Als Dōgō dies hörte, machte er sich sofort auf und ging seinem Bruder nach. Als er ihn am nächsten Tag einholte, erzählte er Ungan, was Yakusan gesagt hatte. Die beiden Brüder kehrten um und gingen zu Yakusan zurück. Sie blieben bei ihm, bis er starb. In seinem späteren Leben ließ Ungan sich auf dem Berg Yün-yen nieder, dessen Name 'Wolkenklippe' bedeutet und der ihm seinen chinesischen Namen Yün-yen T'an-sheng gab.

Als Ungan spürte, daß sein Tod nahte, rief er den Mönchsältesten zu sich und trug ihm auf, ein Festessen für die Mönche vorzubereiten. Am Abend des darauffolgenden Tages starb er.

Ungo Dōyō
(chin. Yün-chü Tao-ying)
Sein Geburtsjahr ist unbekannt, er starb um 901/02.
Ungo war ein Schüler und Dharma-Nachfolger von Tōzan.

Als Tōzans Dharma-Nachfolger führte er die Lehre der Sōtō-Linie des Zen weiter, die von Tōzan und Sōzan gegründet worden war. Sōtō-Zen gibt es heute in Japan immer noch.

Wakuan Shitei
(chin. Huo-an Shih-t'i)
1108-1179
Wakuan gehörte der Yōgi-Linie der Rinzai-Tradition an und war ein Schüler von Gokoku. Er starb mit 72 Jahren, vier Jahre bevor Mumon, der Autor der Sammlung *Mumonkan*, geboren wurde.

Yakusan Igen
(chin. Yüeh-shan Wei-yen, auch als Yao-shan Wei-yen bekannt)
745-828 oder 750-834
Er war ein Schüler und Dharma-Nachfolger von Sekitō. Zu seinen Schülern gehörten Dōgō und Ungan.

In der Chronik von *Chin Te Ch'uan Teng Lu* heißt es, daß er mit siebzehn von Zuhause fortging und im Jahr 772 von Esho Zenji, einem Vinaya-Lehrer, auf dem Berg Heng als Mönch initiiert wurde. Als er zum Zen kam, war er bereits sehr belesen und kannte viele Schriften. Er spürte aber, daß ihm die Schriften die Antwort auf die Frage, die in seinem Innersten brannte, nicht geben konnten.

Als er Sekitō im Jahr 773 zum ersten Mal begegnete, sagte er: „Ich besitze nur flüchtige Kenntnisse über die drei Vehikel und zwölf Zweige der Schriftenlehre. Aber ich höre, daß es im Süden eine Lehre gibt über 'direktes Zeigen auf den menschlichen Verstand und die Erlangung der Buddhaschaft durch die Erkenntnis der wahren Selbst-Natur'. Dies alles ist jenseits meiner Fassungskraft. Ich bitte Euch inständig und bescheiden, mich gnädig hierin zu erleuchten."

Sekitō antwortete: „Es kann weder in Bejahung noch in Verneinung gefunden werden, noch in gleichzeitiger Bejahung und Verneinung. Was also kannst du tun?"

Yakusan war sehr verwirrt von dieser Antwort. Daher sagte Sekitō ihm offen: „Der Anlaß und der Augenblick deiner Erleuchtung sind hier an diesem Ort nicht gegenwärtig. Du solltest besser zum großen Meister Baso gehen." Yakusan befolgte diesen Rat und ging los, um Baso seine Aufwartung zu machen. Als er Baso dieselbe Frage stellte, wie zuvor Sekito, antwortete Baso: „Manchmal lasse ich ihn seine Brauen heben und seine Augen verdrehen; dann wieder lasse ich ihn nicht seine Brauen heben und seine Augen verdrehen. Manchmal ist es wirklich er, der seine Brauen hebt und seine Augen verdreht. Dann wieder ist es wirklich nicht er, der seine Brauen hebt und seine Augen verdreht. Wie verstehst du das?"

Als er dies sagte, sah Yakusan Baso direkt in die Augen und wurde erleuchtet. Er verbeugte sich ehrerbietig vor dem Meister, und der fragte ihn: „Welche Wahrheit erfährst du, daß du diese Zeremonien vollführen mußt?"

Yakusan antwortete: „Als ich mit Sekitō war, war ich wie ein Moskito, der auf einem bronzenen Ochsen kroch."

Baso erkannte, daß Yakusans Erleuchtung wahrhaftig war, und bat ihn, auf seine Einsicht gut zu achten. Yakusan diente Baso drei Jahre lang. Später kehrte er nach Nangaku zurück und diente Sekitō, dessen Dharma-Nachfolger er wurde.

Um 790 verließ Yakusan Sekitō und ging zu den Yakusan-Bergen im heutigen Hunan, von denen er seinen Namen ableitete. Dort ließ er sich nieder, und allmählich versammelten sich viele Mönche um ihn. Als Yakusan mit 84 Jahren starb, rief er aus: „Die Dharma-Halla bricht zusammen!

Die Dharma-Halle bricht zusammen!“ Die Mönche brachten verschiedene Gegenstände und begannen, die Halle abzustützen. Yakusan warf seine Hände in die Höhe und sagte: „Keiner von euch hat verstanden, was ich meinte!“ Dann verschied er.

Zuigan Shigen
(chin. Jui-yen Shih-yen)

Er lebte wahrscheinlich in der 2. Hälfte des 9. Jahrhunderts.

Zuigan war Schüler und Dharma-Nachfolger von Gantō. Über sein Leben ist kaum etwas bekannt. Einer der wenigen Hinweise über ihn ist im *Mumonkan* zu finden:

Der Mönch Zuigan hatte die Angewohnheit, den Tag damit zu beginnen, daß er laut zu sich selbst sagte: „Meister, bist du da?“ und dann antwortete: „Ja!“ Dann sagte er: „Du sollst aufwachen!“ und antwortete darauf: „Ja, mach ich.“ Dann sagte er: „Und passe auf, lasse dich nicht von anderen täuschen!“ und antwortete: „Oh nein, ich passe auf.“

1. Die Traditionslinien der ersten chinesischen Meister

Bodhidharma
gest. 532

Eka
(Hui-k'o)
487–593

Sō-San
(Seng-ts'an)
gest. 606

Dōshin
(Tao-hsin)
580–651

Kōnin
(Hung-jen)
601–674

E'nō
(Hui-neng)
638–713

- Seigen Gyōshi (Ch'ing-yüan Hsing-ssu) *660–740*
  - siehe Tafel 2
- Nangaku Ejō (Nan-yüeh Huai-jang) *677–744*
  - siehe Tafel 3
- Nan'yō Echū (Nan-yang Hui-chung) *675–775*
  - Tangen Ōshin (Tan-yüan Ying-chen)
- Kataku Jinne (Ho-tse shen-hui) *670–762*
  - Keihō Shūmitsu (Kuei-feng Tsung-mi) *780–841*
- Yōka Genkaku (Yung-chia Hsüan-chüeh) *665–713*

2. Die Traditionslinie von Seigen Gyōshi

- Seigen Gyōshi (Ch'ing-yüan Hsing-ssu) *660–740*
  - Sekitō Kisen (Shih-t'ou Hsi-ch'ien) *700–790*
    - Yakusan Igen (Yüen-shan Wei-yen) *745–828*
      - Dōgo Enchi (Tao-wu Yüan-chih) *669–835*
        - Sekisō Keisho (Shih-shuang Ch'ing-chu) *807–888*
          - Chōsetsu Yūsai (Chang-cho Hsiu-ts'ai)
      - Ungan Donjō (Yün-yen T'an-sheng) *780–841*
        - Tōzan Ryōkai (Tung-shan Liang-chieh) *807–869*
          - ⋮ Siehe Tafel 4 für die Sōtō Linie
    - Tennō Dōgo (T'ien-huang Tao-wu) *748–807*
      - Ryōtan Sōshin (Lung-t'an Ch'ung-hsin)
        - Tokusan Senkan (Te-shan Hsüan-chien) *782–865*
          - Gantō Zenkatsu (Yen-t'ou Ch'üan-huo) *828–887*
            - Zuigan Shigen (Jui-yen Shih-yen)
          - Seppō Gison (Hsüeh-feng I-ts'un) *822–908*
            - ⋮ Siehe Tafel 5 für die Traditionslinien von Unmon und Hōgen

3. Die Traditionslinie von Nangaku Ejō

- Nangaku Ejō (Nan-yüeh Huai-jang) *677–844*
  - Baso Dōitsu (Ma Tzu Tao-i) *709–788*
    - Hyakujō Ekai (Pai-chang Huai-hai) *720–814*
      - Isan Reiyū (Wei-shan Ling-yu) *771–853*
        - Kyōgen Chikan (Hsiang-yen Chih-hsien) *gest. 898*
        - Kyōzan Ejaku (Yang-shan Hui-chi) *807–883*
          - Siehe Tafel 6 für die Igyo-Traditionslinie
      - Ōbaku Kiun (Huang-po Hsi-yüan) *gest. 850*
        - Rinzai Gigen (Lin-chi I-hsüan) *gest. 866*
          - Siehe Tafel 7 für die Rinzai Traditionslinie
    - Nansen Fugan (Nan-ch'üan P'u-yüan) *748–835*
      - Chōsha Keijin (Ch'ang-sha Ching-ts'en) *gest. 868*
      - Jōshu Jūshin (Chao-chou Ts'ung-shen) *778–897*
    - Daibai Hōjō (Ta-mei Fa-ch'ang) *752–839*
      - Kōshū Tenryū (Hang-chou T'ien-lung)
        - Gutei (Chü-chih)

4. Die Traditionslinie der Sōtō-Schule

- Tōzan Ryōkai (Tung-shan Liang-chieh) *807–869*
  - Esshū Kempō (Yüeh-chou Ch'ien-feng)
  - Sōzan Honjaku (Ts'ao-shan Pen-chi) *840–901*
  - Ungo Dōyō (Yün-chü Tao-ying) *gest. 902*
    - ⋮ 6 Generationen ⋮
    - Tanka Shijun (Tan-hsia Tzu-ch'un) *gest. 1119*
      - Wanshi Shōgaku (Huang-chih Cheng-chüeh) *1091–1157*
      - Shingetsu Seiryō (Chen-hsieh Ch'ing-liao) *1089–1151*
        - Tendō Nyojō (T'ien-t'ung Ju-ching) *1163–1228*
          - Dōgen *1200–1253*
            - ⋮ Die Sōtō-Linie in Japan

5. Die Traditionslinien von Ummon und Hōgen

- Seppō Gison (Hsüeh-feng I-ts'un) *822–908*
  - Gensha Shibi (Hsüan-sha Shih-pei) *835–908*
    - Rakan Keijin (Lo-han Kuei-ch'en) *867–928*
      - Hōgen Mon'eki (Fa'yen Wen-i) *885–958*
        - Tendai Tokushō (T'ien-t'ai Te-shao) *891–972*
          - Yōmyō Enju (Yung-ming Yen-shou) *904–975*
  - Ummon Bun'en (Yün-men Wen-yen) *864–949*
    - Kyōrin Chōon (Hsiang-lin Ch'eng-yüan) *908–987*
      - Chimon Kōso (Chih-men Kuang-tsu) *d. 1031*
        - Setchō Jūken (Hsüeh-tou Ch'ung-hsien) *980–1052*
    - Tōzan Shusho (Tung-shan Shou-shu) *910–990*

6. Die Traditionslinie der Igyō-Schule

Isan Reiyū
(Wei-shan Ling-yu)
771–853

- Kyōzan Ejaku
  (Yang-shan Hei-chi)
  807–883
  - Nantō Kōyū
    (Nan-t'a Kuang-jun)
    850–938
    - Bashō Esei
      (Pa-chiao Hui-ch'ing)
      - Kōyō Seijo
        (Hsing-yang Ch'ing-jang)
- Kyōgen Chikan
  (Hsiang-yen Chih-hsien)
  gest. 898

7. Die Traditionslinie des Rinzai

Rinzai Gigen
(Lin-chi I-hsüan)
gest. 866

Kōke Zonshō
(Hsing-hua Ts'ung-chiang)
830–888

Nan'in Egyō
(Nan-yüan Hui-yung)
gest. 930

Fuketsu Enshō
(Feng-hsüeh Yen-chao)
896–973

Shuzan Shōnen
(Shou-shan Sheng-nien)
926–993

Fun'yō Zenshō
(Fen-yang Shan-chao)
947–1024

Sekisō Soen
(Shih-shuang Ch'u-yüan)
986–1039

- Yōgi Hōe
(Yang-ch'i Fang'hui)
992–1049
  - Rinzai-Yōgi Linie
- Ōryū E'nan
(Huang-lung Hui-nan)
1002–1069
  - Rinzai-Ōryū Linie

8. Die Traditionslinie der Rinzai-Yōgi-Schule

- Yōgi-Hōe (Yang-ch'i Fang-hui) *992–1049*
  - Hakuun Shutan (Pai-yün Shou-tuan) *1025–1072*
    - Goso Hōen (Wu-tsu Fa-yen) *1024?–1104*
      - Kaifuku Dōnei (K'ai-fu Tao-ning) *gest. 1113*
        - Gettan Zenka (Yüeh-an Shan-kuo) *1079–1152*
          - Rōnō Sotō (Lao-na Tsu-teng)
            - Gatsurin Shikan (Yüeh-lin Shih-kuan) *1143–1217*
              - Mumon Ekai (Wu-men Hui-k'ai) *1183–1260*
                - Shinji Kakushin *1207–1298*
      - Engo Kokugon (Yüan-wu K'o-ch'in) *1063–1135*
        - Gokoku Keigen (Hu-kuo Ching-yüan) *1094–1146*
          - Wakuan Shitai (Huo-an Shih-t'i) *1108–1179*
        - Kukyū Jōryū (Hu-ch'in Shao-lung) *1077–1136*
          - ⋮ Shōgen Sūgaku (Sung-yüan Ch'ung-yüeh) *1139–1209*
            - ⋮ Hakuin Ekaku *1685–1768*
        - Daei Sōkō (Ta-hui Tsung-kao) *1089–1163*

9. Die Traditionslinie der Rinzai-Ōryū-Schule

- Ōryū E'nan (Huang-lung Hui-nan) *1002–1069*
  - Maidō Soshin (Hui-t'ang Tsu-hsin) *1025–1100*
    - Shishin Goshin (Ssu-hsin Wu-shin) *1044–1115*
      - ⋮
        - Eisai *1141–1215*
  - Ungai Shichi (Yun-kai Shou-chih) *1025–1115*
  - Hōbō Kokumon (Pao-feng K'o-wen) *1025–1102*
    - Tosotsu Jūetsu (Tou-shuai Ts'ung-yüeh) *1044–1091*

Quellennachweise

Danksagung an nachfolgende Verlage für die Erlaubnis des Nachdruckes der Zitate und Zengeschichten

The Two Zen Classis: Mumonkan and Hekiganroku
Translated with commentaries by Katsuki Sekida
New York and Tokyo: Weatherhill, 1977

Transmission of the Lamp, Vol. 1, by Shogen Dogen,
Translated into Japanese by Sahaohi Horyu
and Musaraga Reiho, Tokyo: Daito Shuppam, 1986

Zen Buddhism
Mount Vernon, New York: The Peter Pauper Press, 1959

The World of Zen: An East-West Anthology
Compiled, edited, and with an introduction
by Nancy Wilson Ross, New York: Random House, 1960

Zen and Zen Classics, Vol. 1-3
by R.H. Blyth, Tokyo: The Hokuseido Press, 1962

Zen Flesh, Zen Bones
Compiled by Paul Reps, Rutland, Vt and Tokyo, 1957

Geschichte des Zen Buddhismus, Bd. II, *Japan*
Heinrich Dumoulin, Bern: Francke Verlag, 1986

The Zen Koan
Minra, Isshu/Sasaki, Ruth, New York: Harcourt Brace, 1966

Und schließlich herzlichsten Dank an Parva für seine Übersetzungen der japanischen Quellen.

Literaturempfehlungen

Blyth, R.H.: *Zen and Zen Classics*, Tokyo: The Hokuseido Press, 1960/70

Cleary, Thomas: *Zen Antics – A Hundred Stories of Enlightenment*, Boston and London: Shambala, 1993, dt.: *Zen-Geschichten, Begegnungen zwischen Schülern und Meistern*, München: Eugen Diederichs Verlag, 1997

Records of Things Heard from the Eye of the True Teaching: A Translation of the Shōbōgenzo Zuimonki, Boulder: Great Eastern, 1980

Cleary T. and Cleary, J.C.: *The Blue Cliff Record*, 3 vols., Boulder: Shambala, 1977

Dōgen, Eihei: *Shōbōgenzo Zuimonki*, Unterweisungen zum wahren Buddha Weg, Zürich: Thesus, 1992

Dumoulin, Heinrich: *Geschichte des Zen Buddhismus*, Bd.I, *India und China*, Bern: Francke Verlag, 1985, Bd.II., *Japan*, Bern: Francke Verlag, 1986

Genro: *Die Hundert Zen Koans der „Eisernen Flöte"*, Zürich: Origo, 1973

Grames, Eberhard: *Zen*, Hamburg: Ellert & Richter, 1997

Gundert, Wilhelm (Übers.): *Bi-Yän-Lu, Meister Yüan-wu's Niederschrift von der Smaragdenen Felswand*, 3 Bde., München: Carl Hanser Verlag, 1964/73

Kapleau, Phillip. ed.: *The Three Pillars of Zen*, Boston: Beacon Press, 1980, dt. *Die Drei Pfeiler des Zen*, Bern: Otto Wilhelm Barth Verlag, 1981

Minra, Isshu and Sasaki, Ruth: *The Zen Koan*, New York: Harcourt Brae, 1966,

Rinzairoku (Lin-chi-lu), The Recorded Saying of Ch'an Master Lin chi Hui-chao of Chen Prefecture, Kyoto: 1975

Osho: *This Very Body The Buddha, discourses on Hakuin's Song of Meditation*, Pune: Rajneesh Foundation, k.J.

Take it Easy, discourses on Ikkyu, 2 vols., Pune: Rajneesh Foundation, 1979

Neither This nor That, discourses on Sosan, Pune: Rajneesh Foundation, k.J.

The Search, discourses on the Ten Zen Bulls, Cologne, The Rebel Publishing House, k.J.

Bodhidharma The Greatest Zen Master, Cologne: The Rebel Publishing House, k.J.

The Diamond Sutra, discourses on the Vajrachchedika Prajnaparamitra Sutra, Pune: Rajneesh Foundation, k.J.

The Heart Sutra, discourses on the Prajnaparamitra-hridayam Sutra, Pune: Rajneesh Foundation, k.J.

Reps, Paul, ed.: *Zen Flesh. Zen Bones*, Rutland, Vt und Tokyo, 1957

Ross, Nancy Wilson: *The World of Zen*, New York: Random House, 1960
Seidl, Achim: *Das Weisheitsbuch des Zen, Koans aus dem Bi-Yän-Lu*, München: Eugen Diederichs Verlag, 1993
Sekida, Katsuki: *Two Zen Classics: Mumonkan and Hekiganroku*, New York, Weatherhill, 1977,
Zen Training, New York and Tokyo, Weatherhill, 1975, dt.: *Zen Training, Das große Buch der Praxis, Methoden, Hintergründe*, Freiburg: Verlag Herder, 1993
Shibayama, Zenkai: *A Flower Does Not Talk*, Rutland, Vt.: Tuttle, 1970
Suzuki, Daisetsu T.: *Koan – Der Sprung ins Grenzenlose*, Bern : Otto Wilhelm Barth Verlag, 1994
Essays in Zen-Buddhism, Second Series, 1953
Suzuki, Shunryū: *Zen Mind, Beginner's Mind*, New York: Weatherhill, 1970, dt.: *Zen-Geist, Anfänger-Geist*, Zürich, 1975
Tsai Chih Chung: *Zen Speaks*, translated by Brian Brunya, New York: Doubleday, 1994
Watts, Alan: *The Spirit of Zen*, New York: Grove Press, 1958, dt.: *Vom Geist des Zen*, Basel, 1956
Wetering, Janwillem van de: *Der leere Spiegel, Erfahrungen in einem Zen Kloster*, Reinsbeck, 1981
Yamada, Kōun: *Gateless Gate: A Definite Translation of the Mumonkan*, Los Angeles Center Publication, 1980, dt.: *Die torlose Schranke, Mumonkan*, München: Kösel, 1989

WIE HEISST DU?

WAS IST DAS
LICHT EINES MENSCHEN?

WAS IST DIE GROSSE
BEDEUTUNG DES BUDDHISMUS?

WAS IST DAS
GEHEIME WORT BUDDHAS?

WAS IST DAS EWIGE UND
GRUNDLEGENDE PRINZIP
DER DINGE?

WIE KANNST DU
GEBURT UND TOD ENTFLIEHEN?

WAS IST DIES?

WAS IST
DEIN WAHRES SELBST?

VON DER GEBURT BIS ZUM TOD
IST ES SO WIE DIES – DEN KOPF DREHEN,
DAS GEHIRN DREHEN.

WER KANN SAGEN, WAS DIES IST,
OHNE ES BEIM NAMEN ZU NENNEN?

WER BIST DU?

WOHIN GEHST DU?

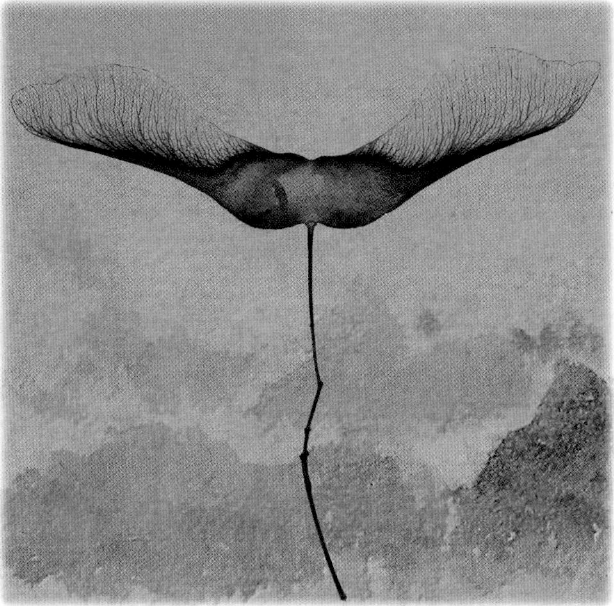

WAS HAST DU IN DEINEN VERGANGENEN LEBEN GEMACHT?

WAS IST DIE WIRKLICHE FORM DES UNIVERSUMS?

WAS IST DIE LOTUSBLÜTE,
WENN SIE NOCH NICHT AUS DEM
WASSER HERAUSGEKOMMEN IST?

WARUM HAT DER BARBAR
AUS DEM WESTEN KEINEN BART?

UND WAS IST,
WENN DAS WORT GESAGT IST,
DAS ALLES AUSDRÜCKT?

WENN ALLE GEISTIGE AKTIVITÄT
ZUM STILLSTAND KOMMT,
WIE IST ES DANN?

WAS IST DAS TIEFSTE?

WAS IST DER
URSPRÜNGLICHE HIMMEL?

WIE KANN MAN DIE LEERE FASSEN?

WIE KOMMT DIE GANS
AUS DER FLASCHE?

WENN KEIN GEDANKE AUFKOMMT,
KANN DANN IRGEND ETWAS
FALSCH SEIN?

WAS IST DER BUDDHA?

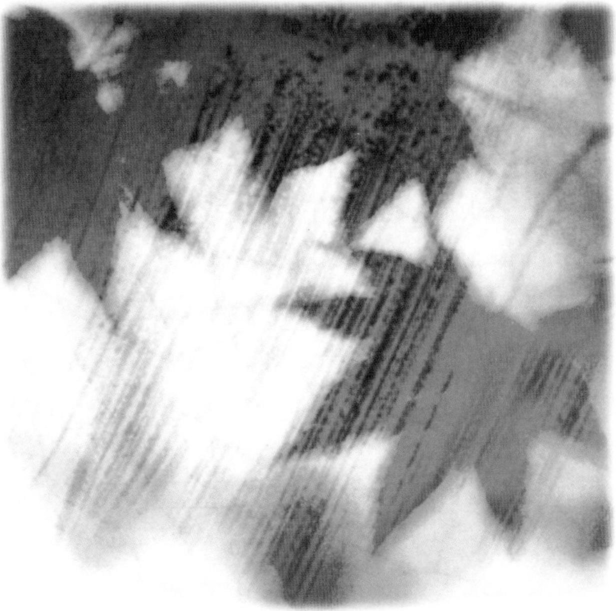

WER IST ER, DER VON
ALLEN DINGEN UNABHÄNGIG IST?

WIE LAUTET
DAS WORT DER ALTEN?

WAS IST DER WEG DER VÖGEL?

WOHIN GEHT DIE RUNDUNG DES MONDES,
WENN ER ZUR SPITZEN SICHEL WIRD?

WO WARST DU?

WAS IST DAS
MYSTERIUM DER MYSTERIEN?

WER BIST DU?

WAS IST DIE ESSENZ
DIESES GEISTES?

WIE KLINGT ES,
WENN NUR EINE HAND KLATSCHT?

WAS BEDEUTET ES,
DASS BODHIDHARMA
AUS DEM WESTEN KAM?

WAS WAR ES, DAS DIE ALTEN LETZTLICH ERLANGTEN, SO DASS ALL IHR MÜHEN EIN ENDE FAND?

DA IST EIN EDELSTEIN AM HIMMEL;
WIE KÖNNEN WIR IHN BEKOMMEN?

UND WENN DAS WASSER IM ALTEN TAL
EINE KALTE QUELLE IST?

WAS IST DAS GEHEIMNIS
DER GEHEIMNISSE?

WAS IST DAS ERSTE PRINZIP
DER HEILIGEN LEHRE?

WAS HÄTTE DIE KATZE GERETTET?

WO WOHNST DU?

WAS IST DIE WAHRE BEDEUTUNG DES BUDDHISMUS?

GIBT ES SO ETWAS WIE
HIMMEL UND HÖLLE?

WAS WIRD SICH EREIGNEN,
WENN DIE BLÄTTER FALLEN
UND DIE BÄUME KAHL WERDEN?

WAS SOLLEN WIR TUN,
WENN DIE DREI WELTEN UNS
ANGREIFEN?

EINER DER ALTEN STAND IM SCHNEE
UND HACKTE SICH DEN ARM AB.
WELCHE WAHRHEIT SUCHTE ER?

WAS IST DAS BESONDERE
AN DEINER LEHRE?

WAS IST DER WAHRE KÖRPER
DES DHARMAKAYA BUDDHAS?